·LARGE PRINT·

VOL. 105

WORD
Search
PUZZLES

bendon®

FAIRGROUNDS

```
O B L N G V A C E K I T S W M D H P Q K
B U C K E Y E S T V K T C S X Z Z I Q C
N X I J G X R C Z A E G A M E S B B Z R
S W C H B O A S J K F U N N E L C A K E
E X L S H J W B C E A N X R N P I Z Z A
L D Q C A Z G I S H E Z V S H R O S Z T
E E J Y U V T N G K H H Z U P D E S I M
P T M I W C D T C V P B N T P I D B P O
H T M C N O W I S C A O M F R O B X T N
A L M G D X H X Z P M Y Q F Y A J H U E
N M S F N C V Z O D B B N U R K V F T Y
T O U N O R E O S R H J D O N U T S J V
E W C A K E U Y W J E S T R O M B O L I
A G U L E M O N A D E E C Y G Y R O G Y
R F E F Q N N H G P N N K Q W S I S T Q
I B W U N G F A X O H J J W N G R K L M
R P J A G F X H P R I Z E S R I D E S C
Z H Q H R P H F S G A H Q M C C Z O L O
D G Y T P I A H I I P B N F X B P X X W
Q Y I O E O I P M E V F Z Q Q H O V H U
```

BUCKEYES	FRIES	LEMONADE	PRIZES
CHICKEN	FUNNEL CAKE	MONEY	RABBIT
COW	GAMES	OREOS	RIDES
DONUTS	GYRO	PIG	STROMBOLI
ELEPHANT EAR	HORSE	PIZZA	TICKETS

WEDDING TIME

```
Q A F Y T M B F A K A I Q X J N U K S J
A C V Q F N J Q O B N C I Q Q E A E C A
P Y I R D V F R I N G S V L R N N O C C
C X D S R P F L K E U H S R J S J F F T
W J E G X Q Z B V V Y I E J C P X W W P
V R S R S R A R R Q O H S E D Y O O U E
X G S O Q P Y I E A V N E X L A T W Z N
M V E O A X R D W Z N D Z I A S N S F D
J B R M T W P E V I I R M X T V Z C E R
K O T F T O A S T R P A G N V T B Y E E
E X Z Z S Z M M B L F C R J N U F M L S
F P D Y I B S A D X Y H O I E X U E T S
V N U Z N L X I O O M F O J V N F U D V
N B E E G A D D T Y B Y M J R I J K V S
X L U Z D U Z T D T S Q S I Y Z G S F C
D X K L V G B P F S B B M J X T T T O K
A N B N J H M G I P Y X E O N A R Z O V
G D J S C T R K R W C R N B E K W B D T
X J L M R E H W A L Q V L F R I E N D S
V W N G Z R V R E C E P T I O N L I I W
```

BRIDE	DRESS	GROOMSMEN	RINGS
BRIDESMAID	FAMILY	HEELS	SING
DANCE	FOOD	KISS	TOAST
DESSERT	FRIENDS	LAUGHTER	TUX
DJ	GROOM	RECEPTION	VOWS

LET'S VOLLEY

```
X N W V L I K B E L Z F M A Y Z S Z K S
R H J D S L D A W W W H A Z Q R U C K P
U I U Q Z O I D L X D U P N A E O D D I
G T M Z E V O B T D D N T E V L P C I K
X Q P T W S F V E C P W D J B H E S G E
P A N C A K E A O R V P W B B I B Q W Y
B A Z R S E R V E L O F T J C T V R D U
T U J S S X N G S H L N I Y N T X X S M
T F M K E D H E M N K E J O V E R L A P
J R E P T L L L Q H R W Y G R R E S N D
M O J T I B U T V V U G G O O H V X V M
T A B T U E A W G A R Q U G T G T N D G
K W R O X O Q Z F X Y U F F A Z X A N G
Q R D V K L S Q P N O G O J T M W C E C
X A P P L H H N R Z B C U R I K Q L W B
D E C I L U U O T O R E L K O N E Q H T
G L K E P S P N O U C U U U N I G J Z F
V E U S S U F S R C P Q B K U D M F F T
V S D A A S S I S T G T J M Y C V S L E
K S P W R J R E J F T R V T F J X Q Q A
```

ACE	DOUBLES	KILL	ROTATION
ASSIST	FOUL	LIBERO	SERVE
BLOCK	HIT	OVERLAP	SET
BUMP	HITTER	PANCAKE	SPIKE
DIG	JUMP	PASS	VOLLEY

TO DO

```
G W Q C O O K I N G S C R U B B I N G P
E K K X G E K R V X I B T A O J Q M E H
W E X G D F V B A V I Z U H T C P R G B
A D F E Q R V J N P G W O D T O P K J C
S K L W I C E A L V P F C X M L I P M P
H H D Y A K T C C L K O A O A X M T O A
D U E W E T J M Y U F Q I E N K A P W Y
I K B L G H Y D A C U S M N P G T I G B
S U C V S B V O O C L M J A T X A A R I
H G L W Q Y D R R O G I V N Z M K J A L
E Z D X B Q G U G P L M N V C B E R S L
S T C I X R F N A S T W S G K A O N S S
Z N J N L G W E N Z K J W R Z N U W T G
R F R C A E V R I E C Q E X V K T E I S
J V M J U M K R Z F T H E O Q I T E L Q
X A W D N J K A I M Q A P B J N R D S X
A C H U D E W N N Y J Z U J F G A I O V
E L D S R E D D G P B J P W V H S N R V
D I P T Y A T S T K Y H N D T J H G A M
K I R O N Z G R O C E R I E S P M U Q O
```

APPOINTMENTS	IRON	ORGANIZING	SWEEP
BANKING	LAUNDRY	PAY BILLS	TAKE OUT TRASH
COOKING	MEAL PREP	RECYCLING	VACUUM
DUST	MOP	RUN ERRANDS	WASH DISHES
GROCERIES	MOW GRASS	SCRUBBING	WEEDING

KEEP IT COZY

Puzzle #5

```
S I O K S V H G X O O R K A A F O W G U
P E O J T Y S H O T C H O C O L A T E H
A D T X Q U Z H L S F O F D T Z T J Z R
C B C O F F E E T Y P V A A G L O V E S
E J S M E R P N B B S F S C A R F O O F
H T W F C L A B N K V U A N O V U U Z P
E T E F S P Q W C K R G Z B S A G O F T
A Z A L T Q Y O A L X U I C G J W G B K
T O T A F Z S V E V A C U U M F L A S K
E F E N E L E C T R I C B L A N K E T E
R W R N D M S B L L S H B C P M S D U I
S W G E E S F L E E C E P P P P B Q V H
V S R L T X I B L A N K E T B F D Y W X
H T R B J H E G A S V W Z Y Q M N K P I
C H A T Q G H E A T I N G P A D O X D S
I I A O X H M P P O K Y W M E K T E A J
V J E L M R O B M A X W M I T T E N S F
S P I L L O W S Z D R O M D X V M E K L
R J V R C O M Z V Z Y O P C W D D F Y I
H H T S L I P P E R S L B P H K B T P W
```

BLANKET	GLOVES	PILLOWS	SWEATER
COFFEE	HAT	SCARF	SWEATPANTS
ELECTRIC BLANKET	HEATING PAD	SLIPPERS	TEA
FLANNEL	HOT CHOCOLATE	SOCKS	VACUUM FLASK
FLEECE	MITTENS	SPACE HEATER	WOOL

COLOR MY WORLD

Puzzle #6

```
V I O L E T Y Q T F R I N D I G O G P B
O P C X T V I O B E E U H X U P F M J W
L G B W J A M K U R L D W F R D V Q H Y
B T Z F P O M C H M O E Z A O E F T V Z
I I S D C N P C E E B N G A D D N K Z P
X R O D A S O S L I M E M F U O L P A O
U J A T Y A I H D I Y Z R C S S G F X G
J F U N I O U J A Y M G Q M O Y Y G H N
S B O Z U H Z I W W V E I Z H R Q C S K
I B E Q R J P V C H A R C O A L A P S C
E G R G Q L M B C W C Q G J J E L L F D
A U P D F I F T Q K U Y M M P O X J R L
T D G D E F V D B O F C L J Z H D K C V
C I O V K M K O P W S I L V E R D S S Z
F L N T D A E H R G L T G P L V N X T B
H C R A S W S R A Y W J R X M G N B D H
A Q H H E I W E A K L A V E N D E R I E
Q F F D I G P I O L I G K N O V W U Q B
U G I J A F D Q C Q D N K E X J Y O O O
A D C N A V Y R O L I V E N R B C S Z Z
```

AQUA	EMERALD	LIME	SILVER
CHARCOAL	INDIGO	NAVY	TAN
CORAL	IVORY	OCHRE	TURQUOISE
CRIMSON	KHAKI	OLIVE	UMBER
EBONY	LAVENDER	PEACH	VIOLET

ONE, TWO, THREE... GO!

```
D N X G Y Z Y R F P L F O F C L Y W Z K
F Q Z A T L Y E C N F O T X O F F N S A
B H P K G T N I N E I U N S I U A D E S
Q G K J H V Z F D M F R H F F H R E V R
Z C L G Z G G X Q W T T Y U H M L I E C
L B I K J A Q S Z O E E X O Q Q Y G N N
N E A I N A H V T G E E O A T S X H U T
M G M L K Z F I H G N N N Z X S E T R W
M P O K E O W L R V E P Q G N V M E N O
Q J G N P I A Q U W Y X O H R G Y E J N
R E M V E L T I O T K J R I M K E N L N
P A O P O J E Z N F T H R E E T P W E C
G V N L X K N E G F X M J J X X P E A M
R B E O L V W E S B J X T I I M T K L J
R F U X P T N N S R M M S F N T Q A M
D M F I V E G X N I N E T E E N R Y U M
N D O P V Q C Y O L N K T V Q Z P F L V
J F C E M L M T W E L V E Q X E E X L P
E A L L J I M V C A M S F Y H E P F W W
Y E H L P T H I R T E E N U X C Q Y R I
```

EIGHT	FOUR	SEVEN	THIRTEEN
EIGHTEEN	FOURTEEN	SEVENTEEN	THREE
ELEVEN	NINE	SIX	TWELVE
FIFTEEN	NINETEEN	SIXTEEN	TWENTY
FIVE	ONE	TEN	TWO

FLAVOR OF THE WEEK

```
F D W B X J I K Q X C Y F C H E R R Y K
H Y Y T U T J T B D L E L Z M O C H A S
H V A A O D U A L E V M D Q O C I J P Y
N D Y W F N N J E F B A R F C D H O P G
P E E M O A L F G S M N P R I H A S E I
S U J C N E F K B A W G E O N K Z M A N
U C O A M O I Z X M G O P X N M E C C G
M C B A C G E V S A W I P U A T L L H E
V N R F E G R G V R U K E N M V N W Y R
P A H E F R W T L E H D R K O P U J Z B
C T P K W D X I K T Z R M N N U T J V R
W D X I N I B B O T W G I X H M F B M E
Q C Q O O X J H N O N S N Q D P M K T A
A V M B L U E B E R R Y T F R K X J L D
N L C H O C O L A T E V G I S I U H O S
A Q E W B Q F N U H U H Z E Z N K N K F
C Y W O M K K Q E G H H I T O F F E E T
M K F Q R X L F B C W R A S P B E R R Y
I I O W I K W H D Q B L I E M X V M X V
U C R O H T V A N I L L A T F Y B K V M
```

ALMOND	CHERRY	GINGERBREAD	PEPPERMINT
ALMOND	CHERRY	GINGERBREAD	PEPPERMINT
AMARETTO	CHOCOLATE	HAZELNUT	PUMPKIN
BANANA	CINNAMON	MANGO	RASPBERRY
BLUEBERRY	COCONUT	MOCHA	TOFFEE
CARAMEL	COFFEE	PEACH	VANILLA

FISHY

```
U  T  R  N  W  G  W  N  O  D  S  G  U  X  B  V  S  T  Q  W
V  A  J  Q  S  E  A  B  A  S  S  Z  I  H  A  U  L  U  X  E
J  R  S  O  F  Y  R  E  T  B  D  J  S  T  Q  Z  P  X  E  A
F  P  L  N  Y  C  H  W  Z  G  K  M  T  N  C  V  C  G  U  E
H  O  B  Y  A  L  J  W  S  W  O  R  D  F  I  S  H  M  D  S
G  N  I  U  L  P  Q  R  Q  P  B  S  A  L  M  O  N  U  T  U
S  K  R  U  V  D  P  Y  Q  U  E  E  N  F  I  S  H  K  M  N
N  Y  B  V  O  O  J  E  H  A  H  Y  X  V  A  L  F  R  H  F
A  P  K  K  Z  C  E  Y  R  S  T  X  H  C  S  A  U  L  W  I
K  O  Q  J  S  L  V  E  I  X  A  C  H  J  D  G  H  E  G  S
E  T  V  X  B  T  K  F  I  Y  R  S  B  B  L  E  N  F  I  H
H  L  Z  C  U  T  R  H  H  E  A  D  G  S  L  W  X  C  S  S
E  R  C  O  A  E  P  J  P  J  S  N  J  P  I  K  E  D  F  I
A  D  R  A  G  Z  H  W  Q  Y  Z  K  S  N  O  O  K  S  L  V
D  T  U  I  T  S  Q  S  M  I  T  O  P  E  V  L  O  P  N  M
S  K  T  E  I  F  G  P  G  X  O  R  T  H  F  X  E  Q  K  C
L  O  R  F  O  E  I  K  G  I  T  X  F  M  C  V  K  D  B  D
L  W  D  K  G  C  R  S  R  M  F  X  P  O  M  P  A  N  O  A
T  E  X  Y  B  J  C  T  H  S  X  W  A  L  L  E  Y  E  R  Y
R  A  V  Y  D  T  U  N  A  G  Q  R  H  L  T  Q  G  B  A  C
```

BULLHEAD	QUEENFISH	SNAPPER	TIGERFISH
CATFISH	REDFISH	SNOOK	TOPE
PERCH	SALMON	SUNFISH	TROUT
PIKE	SEA BASS	SWORDFISH	TUNA
POMPANO	SNAKEHEAD	TARPON	WALLEYE

HOW DO YOU FEEL?

```
I A M K R C F K N U T A N G R Y V J F D
P M I K V F N W O R R I E D H G X L E F
C K L Y E E Q K P P L C T Q F I U R L P
V Y W F J S I Z B C L N I Z R D A F K E
P Q F A A R P D E T E J B W E C U R X P
J C S N Y Z E I T M O Z L T S H A P P Y
C S U X P O N W E I Z D A E P W V C U Q
U X R I R B H T B Q E R W A B K I O M A
R S P O O B I D S T T K W G S Z Y N D I
I N R U R C V L S S M K Q E K F S F U R
O M I S X Z V U U M S L L R X J X U A R
U F S E Z G G R R X K W C X V R B S O I
S F E F Z S F N D F G N K G Z W X E P T
Q U D Y I L H C J G P P J S I M Q D H A
W Y D D I B O P M X I Q N E R V O U S T
X T E D I S A P P O I N T E D T C S R E
W M M E J O G P R O U D U T L T G J A D
J W S H Y V I V D Q Y N S V L S C V M D
Y J E A L O U S Z A O A A F I L D Q E P
G R E Z D E M B A R R A S S E D E D C O
```

ANGRY
ANXIOUS
CONFUSED
CURIOUS
DISAPPOINTED

DISGUSTED
EAGER
EMBARRASSED
EXCITEMENT
FRUSTRATED

HAPPY
IRRITATED
JEALOUS
PROUD
NERVOUS

SAD
SCARED
SHY
SURPRISED
WORRIED

BACK TO SCHOOL

```
E N C T H G D D Y D J S W G R I G L U E
W A L H L W S F A Z E R A S E R S H O R
E D F H I G H L I G H T E R S C C E F L
A J H Q P K P E N C I L S W C R H A T I
H B K U P T Y N D R Y E R A S E P P L G
B S O I L G H Z I N E H E X C Q R U U U
N A H Q O M Q N X X Z F N C O H I M N U
Q Q C A B Z J L Q J R R J L L C N J C Q
I C O K R F X Q Q B O T Y M O Y O R H G
P P N C P P O A P A P E R Q R N T J B Z
F W I B K A E L A L J Q X L E M E C O Y
D S V E P C C N D W C W V O D A B R X V
O B P T X N A K E E X H J B B P R O A A Y
N E W S L E T T E R R D O I E K O Y N Y
C D O M E M G A J P T S O N N E K O N X
S C I S S O R S U E Z Z U D C R S N Q G
L L L O X T U T N N T O K E I S H S F B
O N D K W A H S F S M P C R L E X D O J
M M Y B S G E N G H T A R S S K B W M R
T V S T A P L E S M F L K I R U L E R V
```

BACKPACK
BINDERS
COLORED PENCILS
CRAYONS
DRY ERASE
ERASERS
FOLDERS

GLUE
HIGHLIGHTERS
LUNCH BOX
MARKERS
NEWSLETTER
NOTEBOOKS
PAPER

PENCILS
PENS
RULER
SCISSORS
SHARPENER
STAPLES

BY THE POOL

```
Z H G A P I O I L B W V S D G U D H A T
N Y C E L L P H O N E E U F T Y T J S R
N J O Q S K A S L X T B N Q O M U S I C
Z M P X V M E L F A P O S S W U O O I R
S F T K U L A R O A S C C O E Q O A I P
L T O I G B R L N N I E R S L J C A A N
L Q F G H A F C H M F A E F S G H Y N O
I F O C U U B U I W L Z E N J C B E Z T
T G A K P Y X M W K I V N V E M W C P O
P E X B W G R S B K R P X E G D S X O J Y
B P L E W E S R P Z F X N Z Q W Y L S S
T A Z Y T I U E B Y L U F U Y I H D N Z
Y L D A B M N L A M O K N C J M E D A T
T N W T O A G L C L P O M H K S Q R C H
R H X T O G L A K F S C S E T U J I K Y
Z R I Z K A A F O D N O Z A Y I H N S Z
B V J C Y Z S Y C O O L E R R T I K H D
X N J M O I S C A T L V S G S P G Y P D
T M O E R N E C I I J F Z C C V I Y D U
Z G S C D E S R U Z O D G R N Z E T U Y
```

BEACH BALL	FLIP FLOPS	MAGAZINE	SWIMSUIT
BOOK	FLOAT	MUSIC	TOWELS
CELL PHONE	GOGGLES	SNACKS	TOYS
COLD DRINK	HAT	SUNGLASSES	UMBRELLA
COOLER	LOUNGE CHAIR	SUNSCREEN	WATER

UNDER THE WEATHER

```
C E C M R V M E D I C I N E Z W M V F S
I F E V E R N G L M A M N E T P G M L U
Q O E K C H I L L S X T V O V A K C U T
P U Z N Q T I K J J G S N R T H U S I L
I D I W Y C L I N I C J N P G Z D S D M
O H O T A N T I B I O T I C S B I L S E
O M L I B R K Y D S K D A R W C E E U O
H X N F C C A C H E S O W P T O O E M T
W B N T I V P V I T A M I N S L A P F E
S K V S S V O L W T D N L U G D A A R M
F T M O M D C J K V F W E U W W K W M P
W G T B D O C T O R V G X Y C R Z S K E
X D V D J G V X C T O X B C L T K G U R
Y Q J E V J M Z J Y N T D Z G S Z B N A
D I R E Y X C O N T A G I O U S G W W T
V E K E H D K B U G U T Z K H W T E E U
X S H V F L U V Q J D S M U A S G A L R
C H L M Q Z L E Y X T W I N E I C K L E
I O C R T S S E E T D S O R O E K X H F
L T L W V I C N V B X G Z F C F V G M D
```

ACHES	COLD	FLUIDS	SLEEP
ANTIBIOTICS	CONTAGIOUS	MEDICINE	TEMPERATURE
BUG	DOCTOR	REST	UNWELL
CHILLS	FEVER	SHOT	VITAMINS
CLINIC	FLU	SICK	WEAK

CHEMISTRY

```
W T Z D L Z L R H M M T F K Y T C A M I
Q N B S W Z B O O D D U I T X I S D D D
Z Z K I Y A C E B R U D L E W N B J F J
F B M P I A Q X S I D C T R Y R Z A N B
M Z W X N O B P E N K O R V Z E S J S U
E A C B Y T X E R G T M A K F A A H H E
A Q E U P J B R V S O P T O L C F O G F
S F T N E A S I A T N O I E A T E R Q T
U K D S J R O M T A G U O I S I T D X L
R U A E P B L E I N S N N N K O Y H C T
I C N N R G U N O D G D F T T N G S B R
N R G B O B T T N N J S U X E Z O N W C
G U E U C U I L S Z X K Y K S N G Y B D
O C R R E S O B L B O F S L T N G Y E K
F I O N D F N X U L S W U X T Z L I A V
J B U E U F Y M D L A C I D U U E B K M
B L S R R S C D D T P G I V B B S I E S
S E C O E L H P Q M L B P D E I J J R P
P E R I O D I C T A B L E F S I C V D S
E A I F I D I A F T D R I N T T U J T S
```

ACID	EXPERIMENT	REACTION
BASE	FILTRATION	RING STAND
BEAKER	FLASK	SAFETY GOGGLES
BUNSEN BURNER	MEASURING	SOLUTION
COMPOUNDS	OBSERVATIONS	TEST TUBES
CRUCIBLE	PERIODIC TABLE	TONGS
DANGEROUS	PROCEDURE	

METALS

```
D X S A X B B F M W X D T Y G S A O M G
K T E V T B V T I N Q J G W T O Q N R O
Z Z N M K U T A Q C C L J X U W Q M R C
J W O Z E K N I C K E L O B D S H E A E
Z U M N F R J G I T U F O R B A H G D A
L N O C P Z C R S N Q O R O H W Z Q I I
R S L O C B I U O T T C U A C C E B U T
C F Y B B H L R R J E U C L N V U W M Z
U M B A X V I K C Y T N J J B C R S W Z
T S D L C G A N U O Q S C B K G I H O X
N V E T Y O A P A G N M I O Y N A U D Q
D P N L H Z F Z W V U I H L P I B X M D
R L U Y Z W F Y G I N A U D V P L B E W
G A M T Z N J W S Y W L L M R E E Z F A
O T I G O S O E E X O O U D Q N R R R I
R I N F V C C L H M G L W N Y Q E L W D
H N L O N S T R O N T I U M H Q Z M A Y
C U U I V I C V O B X O Z T D P W E J E
B M Z A M A H F L I T H I U M U L G B Q
P S N K R S B N B R U B I D I U M M W C
```

CESIUM	IRON	NICKEL	STRONTIUM
COBALT	LEAD	PLATINUM	TIN
COPPER	LITHIUM	RADIUM	TUNGSTEN
FRANCIUM	MERCURY	RUBIDIUM	ZINC
GOLD	MOLYBDENUM	SILVER	ZIRCONIUM

HUNGRY?

```
E Q C A I Q L Y P W P T D J O K Y E T C
N W E S Q B J T A C O O Y M K B I F M J
A I H O N C R A C K E R S Z L J F W M A
C S I U P I Z Z A X L B R O C C O L I F
H U T P S Q Z B E B U R R I T O E Y M Q
O X C H I C K E N N U G G E T S X N I T
S R N K P J B D H L S W M D Y T U D N B
Y D X X V A Y E M I K J F G B S K P N B
A H U B C E I S I O M A Z S L A C Z A U
S A N D W I C H V T L M P L R L S F T R
O H Q T R A I L M I X F I P G A U R Y G
J G W R K O M E L E T N U N L D J E S E
J L D M W X M Y V V Y Z A X X B E Y N U R
M A C A N D C H E E S E Q P E O O C I F
B I V W P A S T A C E R E A L D G H C T
B W F V O N U E U V S P C R B G U F P I
G B N B F G C S A S N T H Y F X R R R Q
Y Q C V J W B R L P Z H X O P L T I I K
F K M X Z Y J C T H I Z C O E K A E C J
Z D I Z U A B U V Y U V E V O A O S E M
```

APPLE	FRENCH FRIES	SALAD
BROCCOLI	MAC AND CHEESE	SANDWICH
BURGER	NACHOS	SOUP
BURRITO	OMELET	TACO
CEREAL	PASTA	TRAIL MIX
CHICKEN NUGGETS	PIZZA	YOGURT
CRACKERS	RICE	

LET'S LEARN!

```
N H I S Q Q H T R Q F X X I G O Q Z R V
J U Z C A L C U L U S V Q S Y S H J Z Z
Y B Q Z F T U I M T Y C H E M I S T R Y
E I A D Y E S P A N I S H C Z J I L O I
M O E W O K W S N E N G L I S H P A J Q
U L U N C N O I G L B I G H G W H T W Z
I O H I S T O R Y E F O O H O X Y I Z C
J G J B M G S D H H O H V I X K S N I V
F Y I G M A B S X V U G E W N K I E R U
R H O E U X R X J F Q P R W O L C K A J
E K W O R U M K Y Y M Z N A F F S Y L N
N O S M X F C X E D V U M R P T N U G I
C Z A E Y G D U Q T R I E U K H F P E H
H A R T S E I N J K I W N A B L Y S B Z
R L T R P N H I C B X N T M J P B M R V
M C M Y G E V P Q D B T G M P F H A A L
P Z R L D T E C O N O M I C S O T T C Z
H D Q T J I B A N A T O M Y A P C H F S
V J F Z I C G M V E U I Q M S V X K V I
N R P S Z S A X S C B B U S I N E S S B
```

ALGEBRA	CALCULUS	GENETICS	LATIN
ANATOMY	CHEMISTRY	GEOGRAPHY	MARKETING
ART	ECONOMICS	GEOMETRY	MATH
BIOLOGY	ENGLISH	GOVERNMENT	PHYSICS
BUSINESS	FRENCH	HISTORY	SPANISH

TYPES OF TREES 1

```
G D F Z U O P U G T I A O U D J H J L X
P O F E I T M A P L E Y F P O O X P H U
B Q B N M B B M Y S J S H U G C P S A M
W B U C M A I D E N H A I R W K N S X S
W O V J O H W A K O Y A X C O Y U R E J
H Y A V X Z F I M I A L H D O S D I O Q
E R V K L Z L V Y H C G N R D O P I T K
M J A B E E C H G T X O P K J V H F A S
L P Y I W I L L O W G N A S L S L O M P
O E W R Y F I H K A Z D K L Y L Z H I R
C J H C T L M R R Q C T Q M M M C A M U
K S S H N M O D B I O V D A O O P P L C
N S D D Z C J Q B D C E P V E Y N S N E
O J D E I Y W A Y R Z Y K J E H J D D M
A C D D D P Q M A G N O L I A S C N L S
A B U R M I Q E R U S Y C A M O R E T R
J Q H X I N P X D F T E F E D Q P X L U
M K M W N E Q I R Y J P S E Q U O I A E
Z B X Q I C L O V E T D Z I Y H A I Q D
H I C K O R Y S E J O Y S V Z F I R Y V
```

ALMOND	DRAGON	MAGNOLIA	PINE
BEECH	ELM	MAIDENHAIR	SEQUOIA
BIRCH	FIR	MAPLE	SPRUCE
CLOVE	HEMLOCK	OAK	SYCAMORE
DOGWOOD	HICKORY	PEAR	WILLOW

ROCKS

```
B N P Z Y H R V F P G S H A L E M L U J
T M V Z H U S C R M H V V P Q U A R T Z
J S M I N T M A R B L E L C A C U U O A
S C H I S T Q D B A C G Z B R E C C I A
D I C F R L C G X K O S W S D P G C K Q
E M H C A W P S F Y A Q U M A U M Q P S
T Y C A C N D D H N L A I D L M M K W C
T X S L A T E I G U G N N U I I F Q G O
T Z W L F D F V O N K S R D M C Z G I R
S F K G P G I J F R E E D G E E S J F I
B X O B S I D I A N I I E E S S Z E O A
O V A Z G A B B R O O T S R T S I G E T
B G Q H M A N R I M Q V E S O Y D T Q C
O R H Y O L I T E Q X D J X N A I R E Q
S A N D S T O N E S B J Q H E N B A S A
D R F W J W E P V I E U K E A W G Y F V
L J C C H E R T W A O I C R V Q K W L S
W C C J T P I E F I J D G U C C D L K J
O S D G G V T Q P D E P F Y R J V D Y D
H C I B M B A S A L T A Q H J G F N H M
```

ANDESITE	DIORITE	MARBLE	SANDSTONE
BASALT	GABBRO	OBSIDIAN	SCHIST
BRECCIA	GNEISS	PUMICE	SCORIA
CHERT	GRANITE	QUARTZ	SHALE
COAL	LIMESTONE	RHYOLITE	SLATE

EDIBLE SEEDS

```
Y U F E N N E L J A P E C A N S K Z V T
X E B I Z T Y P E X A Q G H X N E B O Y
P I N E N U T S N Z J E I N L Y C Y I X
G N B B V A L X N B R A Z I L N U T X U
S V T R J B P B C O C O N U T J L O F R
U F S W A Q M I K A C E R J R O Y W Z Y
N J B X Q L B E G C K W Y P L G E J T V
F C J Q J Z M S P U M P K I N T W U C W
L I R Y A B T O L O P U B D A Z N F A K
O A I H Q F W P N O W K Z N Q A I S J O
W O Q M C U I A P D M Q A C I U B C I I
E S I I H C C U L L C R W M A D I H W Y
R Q M Q I Z K H K N G G A Z U S C N Z E
C R X G A W U S E E U D J Y I A H Y O U
G Q P S H E X H M S A T Q X T X Z E B A
K P G V E Y F O W C T Z S S F X R Z W H
B Z S V L S P D A R E N I K E Y C R F E
A S M T G U A M U L L P U W Q S J N L M
N W M Y Q G C M D I T Y I T S E H E A P
F P H A C V K N E P L M W N S W B M X Z
```

ALMOND	COCONUT	PECANS	PUMPKIN
BRAZIL NUT	FENNEL	PINE NUTS	QUINOA
CASHEW	FLAX	PISTACHIO	SESAME
CHESTNUTS	HEMP	POMEGRANATE	SUNFLOWER
CHIA	MACADAMIA NUT	POPPY	WALNUTS

BREAKFAST TIME 1

```
Q V V B K Y Y X Y L C R P P D T A I E B
C G Z J N I O N G S F I N F R H T X F A
O F W I F M G G E F N E X B K B H X R C
O C Z Q D Q X K U T W L X I G O Z I U O
S E I D Z F A H Z R A R R C R B F D I N
J R B G O C D D F E T S E B U R R I T O
J E H Q N N Q O M Y M E G O Y A H M X H
Q A M A O K U T Q U I C H E D L A H U X
G L P C U U A T C C G Z B U Z N B T G D
N G J M Z O R N Y M C Y R I K I J A U N
P O G T O A S T C A S S E R O L E J W T
O G B I S C U I T X A I F J T Z M H D F
D R T F K F G R A N O L A B A R G P Z Y
S Q C Y B A G E L B I D C V E G G S M X
E J T Y W Y S N F G M Y Q E R U M N X K
H A S H B R O W N S E E Y R P Y S T J F
Z M R U T S W I T C D F S W A F F L E S
S M O O T H I E O A T T X W C O T F Q Z
P S Q P S A U S A G E L D A H Q K P G U
G T H G R Q K B M F M U F F I N R O M G
```

BACON	CEREAL	HASH BROWNS	SAUSAGE
BAGEL	DONUT	MUFFIN	SMOOTHIE
BISCUIT	EGGS	OATMEAL	TOAST
BURRITO	FRUIT	PANCAKES	WAFFLES
CASSEROLE	GRANOLA BAR	QUICHE	YOGURT

VACATION TIME

```
U R F T J N H K S I E T M X H V Z U D S
C U Z H I L T O N H E A D Y S H T E Y T
A B N X N O F S Q R O Z I K P N B M F Q
N O I J B C N H L U L K M I A M I N T L
C O D H J Z N P Q K N P K T T Y G W R T
U C V L X N V X K Z R O M E R W R G S T
N M Y R T L E B E A C H H W F M E N C G
S J Z B X E W H S L X R O R J Y E E A B
G H E M D S W U H Y S M L E A N C C R M
N P A O R L A N D O A E A M M E E V O P
G B Y W U A E J U R R X B F A W D C L U
A H V V A J P S T W U I V M I Y R A I E
I S C G N I A G F S L C T K C O M L N R
Z R C N O G I E I B O O D Z A R H I A T
H Y I Y E X I R I I N Q G C G K X F S O
J W X V Y K A R A Q D L V O M U E O P R
N N S Z B P Q Y J K O P P W J G K R E I
M A M F K K X Z S Y N S P A I N M N B C
L G Y L D Y N R Y S B A H A M A S I J O
I S K Q Q M I T A L Y K Z W B U F A T C
```

BAHAMAS	HAWAII	LONDON	ORLANDO
CALIFORNIA	HILTON HEAD	MEXICO	PARIS
CANCUN	ITALY	MIAMI	PUERTO RICO
CAROLINAS	JAMAICA	MYRTLE BEACH	ROME
GREECE	LAS VEGAS	NEW YORK	SPAIN

TOUCHDOWN!

```
D R I V E K Q D B F E L A B X T Z T E J
W V N A D Y S H N Z T W Q P A O R Y S U
K J Z Q S U C R U S H I N G K U E V X E
W I U J V T S Y J A N W M Y P C L R V Q
T F H W A F U M B L E I G S E H R H U K
Y K O C X T S N A P Q U Q W T D O U K U
Z O D E Q S E C O N D A R Y R O F D F A
X W P O N V L B C B E G K G B W B D I I
W E H O W D G E W Y H Y I M I N N L W N
S G I R J N Z D T F G Z C D N G Z E J C
T Z S E H K P O I C B B K Y T T S K E O
I G F T X Z R U N G H A O X E E A F O M
N B U U Y T N P A E A C F M R M F L G P
K I W R G Q Z X O B N K F D C G E S Q L
Y U X N R H S K F C D F Z S E N T J W E
N F T J W P O I J K O I Y K P A Y D R T
T Q Q N V V B Y K A F E G D T D A L A I
Y C B H G R I C G P F L E L I T N G J O
S R U N N N A O K L L D J Z O O L O H N
X P G U A S C H P U N T O V N X Y V T I
```

BACKFIELD
CATCH
DOWN
DRIVE
END ZONE

FUMBLE
HANDOFF
HUDDLE
INCOMPLETION
INTERCEPTION

KICKOFF
PUNT
RETURN
RUN
RUSHING

SACK
SAFETY
SECONDARY
SNAP
TOUCHDOWN

HOMERUN!

```
K P G Y R C N N Q C H A E K A V Z J M K
B N A E O Q P R P X Z Q B Q Q A X L D U
K D D N Z P Y A B C H K Y X L Z D G P
Y T T Z C W T R I P L E P C I K X L E A
Z B W X I K V V O A Y O U B S N Z E G R
C W A C M A F M R U T I G X A S N R I V
D O R J G N O E L S M Z R D U T E I S P
E L U N H P R L K O G J D A V G T Y N E
Z B D N I D A C J I Z Q Z P N Z R E S G
B A F Z T B A N T C R D P I S F W N R H
A L W I M B A H V G Z S D C S O E R Y B
G K F P E H B T F X G I T N A F O H L I
P C J S W L S T N W K N P A E T Y K U Z
I Y A H J H D U U S Y G G D U Y C K Q P
T F Y T Z L R E M J K L B A S E L H W H
C U X U C E F Q R U G E D O U B L E E J
H B V W M H Q P H H T W K N R M K G B R
E D U O T M P V I Z B B Z J V N Y X E G
R Y H N Z A O P Q W Q T C T S T T B J H
L Q Y X T F U Z C N A H U J Y Z C N G U
```

BACKSTOP	BAT	COUNT	HOMERUN
BAG	BATTER	DEFENSE	INNING
BALK	BUNT	DINGER	PITCHER
BALL	CATCH	DOUBLE	SINGLE
BASE	CATCHER	FIELDER	TRIPLE

GOAL!

```
J  J  H  L  J  B  J  O  S  X  H  C  X  L  J  V  X  M  N  S
B  D  Q  H  T  Y  X  S  O  U  E  P  F  E  S  E  V  P  J  N
H  W  M  E  I  W  O  T  I  L  T  O  U  C  H  Y  H  V  M  M
Y  B  J  V  D  R  E  T  H  E  A  D  E  R  Y  V  R  W  A  H
R  I  N  U  C  A  L  Y  T  A  A  K  M  P  D  A  R  L  R  Z
U  P  U  K  G  D  C  T  P  G  B  S  O  L  E  X  Q  U  K  E
L  B  T  O  T  G  Q  E  S  U  H  Y  H  L  G  N  I  N  I  R
J  L  M  R  S  A  L  F  C  Y  N  B  C  G  E  K  W  O  N  B
T  C  E  V  A  A  Z  I  K  O  A  T  W  L  J  M  O  P  G  W
D  X  G  S  R  Y  V  A  N  Z  A  W  S  B  K  M  G  D  W  L
N  N  F  R  W  J  C  E  F  G  H  N  R  C  X  C  X  N  E  L
W  P  S  C  R  I  M  M  A  G  E  J  K  J  H  U  W  L  D  D
W  K  B  W  H  H  K  D  U  L  Y  B  V  Y  R  C  B  R  O  P
L  I  V  C  B  U  W  T  R  A  P  P  I  N  G  B  A  F  F  B
J  C  Q  S  M  N  F  M  T  W  E  P  A  P  I  O  W  L  F  A
E  K  C  J  R  S  G  K  C  Z  K  I  C  R  W  F  B  Z  S  L
R  O  X  L  F  V  O  L  L  E  Y  U  D  L  X  I  C  I  I  L
S  F  H  K  F  M  J  L  Q  P  N  R  J  E  E  H  B  W  D  E
E  F  K  T  A  C  K  L  E  B  S  M  V  H  E  A  M  L  E  E
Y  T  G  Z  W  Q  O  S  T  R  I  K  E  W  P  Z  T  B  S  U
```

BALL	HEADER	NUTMEG	STRIKE
CLEAR	JERSEY	OFFSIDES	TACKLE
CLEAT	JUGGLING	PUNT	TOUCH
CROSS	KICKOFF	SAVE	TRAPPING
DRIBBLE	MARKING	SCRIMMAGE	VOLLEY

SWISH!

```
Y T H Z G D K Q P K B O U I D S K T J K
S R B W B J S D J J G F P N R H D Q H L
R A A R V J R L R G I G X R K I G B I C
X V C G I P E T W W K G Z T E R R M J C
A E K Q G P B B G B S E K P L P R E S S
D L D K G U O D Q K T T G Y M E Q Q U M
G L O F E G U Z J Q T T U R N O V E R P
E J O A M K N F N M K J A A R Q Q Z Z E
L J R D X Y D P A I N T I O S S W I S H
B Z D R T F H L D C Y P D V J S T I R N
O F G I G S A X F H T R M J D E I L W C
W Y P B Z X R C D J A T U L L Y C S I N
C S J B D B C X J O R Y U T Z W M O T L
A V N L I X G H B S G X U T G I X F L J
R X S E F C P K A L T O Z F N V Y L K T
R P B C D Q C E K R O J B S E J A O E Z
Y L S Y R A C M K L G C R G R B E P Y L
G M V D B E P O S T A E K N R U K N A S
B V J Z H Q E R E F Q J T I O Q Z I Y L
S C Q B K K X N E X C O A J Z L K C Z X
```

AIRBALL	CARRY	KEY	REBOUND
ASSIST	CHARGE	OUTLET	SCREEN
BACKBOARD	DRIBBLE	PAINT	SWISH
BACKDOOR	ELBOW	POST	TRAVEL
BLOCK	FLOP	PRESS	TURNOVER

UNDER THE WATER

```
W O T T E R S V R D S O M V R F N T B B
B H R J C L A M I T O A A E S U Y Q X Y
Q U A B T G W U Y F P K E S B H S L Z F
P J Z L J N Q W W K H T Z L W C E Y S D
V F Y R E S G R Z X A M O P B O A U H K
I K C Y K I N V C N C Z O T U X H F A E
C T J B L K S Y A V L O P F R S O F R R
H U R N W U T M N I O D L S C S R I K J
R S T T C C A H M B V E A S H T S S L H
Y C E S S O R K E Y V C N W I I E H W A
J E M A O G F C C V B N K R N N Z O W E
K U Y G L N I S C P V S T F L G C O A C
K U I F H K S J G E W R O E J R A C L Z
E V M Y X E H R J E G P N T K A R T R N
L O B S T E R S R H K L X C J Y D O U X
I P T N T D Z N L Z A V K O O X G P S C
L Y W D U E U I C R U T U R T L E U S Q
V B S H R I M P O X C D K V P Y T S A Y
G H F Y F Y K C A N S D B C R A B H O K
I W F S N B M X L U Z D C R Q N B B W N
```

CLAM
CORAL
CRAB
FISH
LOBSTER

MANATEE
OCTOPUS
OTTER
SEAHORSE
SEAL

SHARK
SHRIMP
SQUID
STARFISH
STINGRAY

TURTLE
URCHIN
WALRUS
WHALE
ZOOPLANKTON

ROAD SIGNS

```
R  T  O  E  N  T  E  R  R  Z  W  Y  D  E  E  U  P  V  F  K
D  O  I  Q  C  H  J  M  Y  H  R  Y  T  S  N  Q  K  N  S  K
A  P  I  D  E  T  O  U  R  E  I  X  Q  H  J  H  L  S  P  X
M  Q  R  W  W  S  D  F  P  E  D  T  R  T  I  V  A  C  L  M
C  K  Z  H  F  A  Y  P  M  Y  C  B  S  Q  N  U  M  H  I  I
S  W  Q  O  F  U  I  C  G  T  R  L  L  Q  Y  B  G  O  T  A
C  R  F  S  P  L  G  W  M  D  O  T  N  Z  N  I  W  O  B  D
M  E  F  P  S  C  K  L  A  C  U  P  Y  I  B  J  E  L  R  O
O  U  B  I  D  I  N  O  N  O  T  V  B  X  M  E  T  L  Z  R
M  F  I  T  Q  X  R  D  Q  N  E  R  H  C  S  T  O  P  D  N
Q  C  N  A  C  L  E  F  W  S  X  R  D  P  H  O  N  E  D  Q
X  A  T  L  I  E  B  F  C  T  M  R  L  T  P  O  H  I  J  Y
L  U  E  A  P  J  S  F  J  R  D  W  M  U  U  H  O  S  N  I
C  T  R  S  K  N  M  L  R  U  B  Q  A  B  U  M  P  E  B  P
I  I  S  M  A  T  P  A  R  C  U  C  B  L  E  K  Y  K  W  V
G  O  T  F  T  V  X  G  U  T  E  O  P  W  K  H  J  A  T  U
F  N  A  L  D  I  G  G  C  I  I  E  X  I  T  E  L  D  X  I
J  D  T  N  V  X  G  E  S  O  B  O  C  L  O  S  E  D  L  R
S  C  E  E  M  H  C  R  L  N  C  H  J  V  B  W  C  B  J  P
O  R  O  H  D  C  A  R  C  B  N  D  X  G  T  W  G  G  J  K
```

BUMP	ENTER	PHONE	SPEED
CAUTION	EXIT	RAILROAD	SPLIT
CLOSED	FLAGGER	ROUTE	STOP
CONSTRUCTION	HOSPITAL	SCHOOL	WALK
DETOUR	INTERSTATE	SLIPPERY	YIELD

TYPES OF SHOES

Puzzle #29

```
F G D E R B Y Q I N Q O Z Q M C P T K I
V B D W N O S W K Y Y P F O R M A L U L
R A M U L E B L E F K I Z C J R E L P P
H D G T B Z S Z I D F H F E H L Z U E C
F N X E T T R F N P G R B A L E U Y M K
L Y C N G A Q R S J O E R I S I L D I A
A S C N D T H C Q M D N R Q I H S S W W
T D E I D N T S U H U D P Y Y E I P E O
W N S S Y W R B Z E A R X B P E F O C A
X Z R Q S E I R J P G H I R K L G C N G
Y W N G K L Q O S O X F O R D S I C M M
Q Q O A X L A E R B B R O G U E S X T R
H G E K E I S A V I P B G B Q D R E S S
D N L U B N J H M I R J T A S Z R D P V
S G T L D G M O F V H G M P Z A M V M S
R N Y J F T I P G M O C C A S I N M Q W
K E Z R V O O X B O O T P I L D C D X W
M E U L U N L Q Y Z J C A G A R A P A O
U X V F L I P F L O P R V Q F Q M U D L
M U Z B C J L S W Q U P X H C O U R Q J
```

BOOT	ESPADRILLE	HEELS	SLIP-ON
BROGUES	FASHION	MOCCASIN	SNEAKERS
CHELSEA	FLAT	MULE	TENNIS
DERBY	FLIPFLOP	OXFORD	WEDGE
DRESS	FORMAL	SANDAL	WELLINGTON

CLOTHING

```
Z E A O W L I B P T P Z Z S L T I M O S
Q S W Z Y C A L O D J M I H E A L O Z X
G M J L Z D U O L O I S F V G D A Q B H
U K Q H P R C U O U R T O Y G Z C R U H
H M I Y I E U S M E M V W N I U T L S M
J J K S C S T E G T S W Z W N S I M W Q
N L H W J S R G A J H B Y X G Y V G E P
G M U E N T O O T E I H M L S P E L A R
C J J A N J C R V A R N X X K N W T T J
O C Q T H U I E P N T K G Z O I E Y S Y
L A V P T K G J C S S Y X K V G A O H S
L R J A S E L J U R E M N A E H R A I H
H D S N W K V B E M T H J F R T N V R O
B I L T R G U S X P P K T F A W G S T R
K G O S V X U E V N E E P X L E J I Y T
K A Y M W O L N I T A Z R V L A M N U S
L N P Z R X Z W K M E W X N S R T M L M
T F V T D K U Z J S W I M W E A R X O T
M T N L H R R H H X I G N S Y S H X W P
L X H N O G Z L T R O M P E R N Q H C A
```

ACTIVEWEAR	JEANS	OVERALLS	SKIRT
BLOUSE	JOGGERS	POLO	SWEATPANTS
CARDIGAN	JUMPER	ROMPER	SWEATSHIRT
COAT	LEGGINGS	SHIRT	SWIMWEAR
DRESS	NIGHTWEAR	SHORTS	TROUSERS

CLOUD WATCHING

```
G L L Y P U C H E M T R A I L F B R Y Z
S P V P K P E A R T H Q U A K E C U H B
A D Y O K Y L A X O F W F G A R Ú A S A
N A R N A P D Y S Z N L A R X K S U F C
I S Z A X Z F K A C H Z Z X X Y B S Q C
M A W R C A M A N C H A C A S M W U Q E
B F A C T I N O F O R M V Q I L G C F S
U K O A N T H R O P O G E N I C H I D S
S X P H L Z W Y N F D U O F V D O R X O
P H Y O G T T S Z C M L P N W W K R M R
Z S M A R C U S M U U T F C L B T U U Y
C O N T R A I L F M C U N L L K H S S Q
Q R D T Q H D P U U S R N H Z K N K H B
V V Q T X H S C P L V Q X V G W L L R E
B T P N O C T I L U C E N T A S G R O E
D C I R R U S C A S T E L L A N U S O E
C O N D E N S A T I O N W T S T I U M J
N I M B O S T R A T U S D D K F L U O C
M C A S P E R I T A S U V U D L V Z G N
E S P V J W A V E F E Y B A O A Q Z D Z
```

ACCESSORY
ACTINOFORM
ANTHROPOGENIC
ARCUS
ASPERITAS
CAMANCHACA
CHEMTRAIL

CIRRUS
CIRRUS CASTELLANUS
CONDENSATION
CONTRAIL
CUMULONIMBUS
CUMULUS
EARTHQUAKE

GARÚA
MUSHROOM
NIMBOSTRATUS
NIMBUS
NOCTILUCENT
WAVE

KINDS OF SPIDERS

```
Q J G B S E J V B P N K M L Y M R E Q P
C K V F J R Y J J T M Q N O B N A Z T Y
H C M W A N D E R I N G W Y G D N N V E
N F F W K O Z W O F V K U B I R K Y H G
M E W I O R B W E A V E R R J I P R U R
I A Y L A R M E D I H S E O D B R N N A
S T S A C A U M O C W D O I O O U K T S
S X A Z K T K F R X S Y D G D T M G S S
U X Q T L K K O D Y A D G X L A D C M Z
L W J V K L O E D K W B G P C R R K A Z
E N N O O D N Y E A J V H L E A J X N I
N Y H P P H W C Y G U N S Y L N C F P P
A L J A D S G O W E M S O N L T A S D V
Q I R K P N L O S L P T B X A U S E I P
W T S V I Q D Z Y E I E K F R L C Y W G
J E I H F I O N A N N P Y B B A B W O R
Z D S M W M R Q V I G Q S A B W A V L O
K I I A G M H S J D T Q R N A F D P F U
F C T C C Z D K Q A Q C R V T A M H N N
W A E R E C L U S E P C B A D S V A R D
```

AGELENIDAE	FISHING	LYNX	TARANTULA
ARMED	GRASS	MISSULENA	TRAPDOOR
CELLAR	GROUND	ORB WEAVER	WANDERING
CRAB	HUNTSMAN	RECLUSE	WIDOW
DYSDERIDAE	JUMPING	SAC	WOLF

MAKING A SALAD

```
H L J L J S R E H L E M A N G O E S I C
T S N K A L E L N J G S I G E H C S F O
W P I X V A N A H V G L U Z R A N C H N
A J L K L X B H H S C A L L I O N L N M
C G G L X U J E T A D J D W B V Z F R V
H T I K S U V I N E G A R K P S P B U V
E D C H I C K P E A C G J S U U V K C G
E X W P N N X Z M K H A C G L E T S G J
S Z K O I R R S V E N H A R G Z E H L Q
E K M I E Y K B F B A R B U O L P T O Q
V E F P Q I U R C W A V H I B U E P H A
L L P Q O T O U N P N Z Y A D P T Y O U
Q E Z R V J G X S R C X T N Z Q V O D M
P E R P C G R A O V X E C H I C K E N F
E X B A F C X C M L G K F R I P K M C S
B C J R G A Q D R E S S I N G A U T E F
R O I S R M C U V O E I L E T T U C E G
D J H L Z F O L Z W Y R D O N M E V E X
K Z L E U W R J V O Z B Z N X A G V J T
C Y S Y M G Q C A V O C A D O V F W J Y
```

ASPARAGUS	CORN	KALE	PEPPER
AVOCADO	CROUTONS	LEMON	RANCH
CHEESE	DILL	LETTUCE	SCALLION
CHICKEN	DRESSING	MANGOES	VEGETABLES
CHICKPEA	EGG	PARSLEY	VINEGAR

GET FIT

```
S W I M M I N G C D H K P O Q P P B P P
G R U N N I N G R Q E P V X G Z A S A L
Y B R O W I N G O N F W Q J I J A I D Q
W A Y G W G D P S I I V D A N C E V K D
K N Z B Y S F R S Z H K M C Y C L I N G
B I E U M M P G F A N P K T F E Y E I Q
X Z C K M H N D I U B W A L K I N G D K
R Q O K F B Z A T K U Q S O Y O G A Q C
B J H O B G A M S R O C F C Z Z F Q E A
O F Z S G O V H X T I P N B O L O F O R
X N Y P A T X D Q B I E P I L A T E S D
I A A I L L M I O Z A C P F H C S D A I
N E R N U T U R N F G E S U B Q P P Z O
G K A N N I E M Y G M R R T M B I O B K
J Y Q I G A T D X G Y Y X I U T W C A L
G C U N V D P N T T F H B V A Q P W R G
G R P G Q V M F W U D I I L P L L K R O
M B A P Y A Z J U A Q I U G A L F L E S
S D B U Q I L L L I F T I N G R J B S U
I C J B T B P P P J X O Y L F T F R Y J B
```

AERIAL	CROSSFIT	KICKBOXING	SPINNING
AEROBICS	CYCLING	LIFTING	SWIMMING
BARRE	DANCE	PILATES	WALKING
BOXING	GYMNASTICS	ROWING	YOGA
CARDIO	HIIT	RUNNING	ZUMBA

CONSTELLATIONS

Puzzle #35

```
G D R A C O C E P U P P I S D W N V R E
W H M O N O C E R O S I G A U R I G A O
V X S U Z A G M I A H V J C A R I N A O
Q J C Y G N U S L E I V D M M U B R E R
C T B R H D E L P H I N U S H K X P K I
V O A S C O R P I U S I A D V Q L E L O
Y J W E W M J S M F G I I L L E Y R X N
E R I D A N U S E O I O C S Y T K S I C
A P S N Y F X K L J A P A N B F Q E V A
H S A N U R H O Q L Y B P S L S H U O S
B Y G F B O R Z I I B F R Y K Q R S U S
W H I E Q O L U Y J X T I Y K P F B B I
U T T P H S Q W E V N P C U I H T Z M O
N K T F I A H N Q L D F O E L Y R A Z P
I F A W N K S X B V U L R U R S J E D E
X C E P H E U S I G U P N T X M S R T I
C E N T A U R U S U J P U M U A M S I A
X N F D I G W Y B W I X S J N C W J M M
W L W U X X P O U K M O S Y O T Y D M T
X Q N N I I M C O R V U S W T C R D F M
```

AQUILA	CENTAURUS	DRACO	ORION
AURIGA	CEPHEUS	ERIDANUS	PERSEUS
CAPRICORNUS	CORVUS	HOROLOGIUM	PUPPIS
CARINA	CYGNUS	LYRA	SAGITTA
CASSIOPEIA	DELPHINUS	MONOCEROS	SCORPIUS

MAKING COFFEE

```
E Z H B G O N W N D X U T V L F N D O M
X W J R P R V M N S K U H H P I L L F C
V S C E R E S I T D I X V Z S D R I P Z
S F A W U S R E P K X X K Z G L G N O C C
X W S Q B G P C L W T I K W W N R F Q K
B L A C K I Y T O A A D Q P W F P J G D
N V X Z P L E F C L L T A B T Z M I M T
N U Y Q M B V O L H A S E Q W U V O F D
E J W S K E M K E P E T L R Q U N X E U
B K H Y B A M A L O W A O I K Y C H S C
U L E N M N U O P T L I T R X T T T P R
Q D I T I S G G I G D J H Z Y R P G O E
H Q A F T O V X X P I Y N S U G A R O A
B D P C Y L N A K C T O H J G U C O N M
Y R I N S E E L G K O R Z C O S O U G E
X H W S D F I L T E R T P X V N A N J R
O M O X X M V M J S W Q K T E S W D M S
V B G J I E Y E C D W J J Q V T A S G U
W I L F B S U S C B T X P X H I R Q W J
Q R V L G C I O P R J C B B H R M D Z I
```

BEANS	FILTER	MILK	SPOON
BLACK	GRIND	MUG	STIR
BREW	GROUNDS	PERCOLATOR	SUGAR
CREAMER	HEAT	POT	WARM
DRIP	KETTLE	RINSE	WATER

LOVELY LOCKS

```
B A U D X B O M D C O S P Y L G Y T B T
R U K I H D L W Y O U T A F N Y S F Y O
U D W I P W A M M M Z R W F J N Y I Z X
N C M B P R Y K J B P A S H A I R P X X
E D T Z Q O E C B S I R S K V N O I J
T Z D Y P Z R A L N R G D O R X R X V
T G N A G Q S L O A S H O K Z O Q X E P
E B R U S H V I N G K T P I B O H N W M
X A O M I X S Z D C R E L T I N V F W H
V N J N A N N O E O B N F L J M Y S O P
W G I Y E Q P K U N V D D T O N D B V S
R S L T Q G F I F D F K X H U N C Z S O
F I X F M T X L R I R I O H V S G N H S
I E B V K C S S X T X I T Y W F I A A T
C L Q S B T T K W I M X T I C R J T M C
A U H H Z Z Y D O O K Q O G L W Z U P U
O X X O T S L P D N F P X E X N R R O
U V A R I T E X K E T Q U U Z J E A O L
C P N T U H T K W R Z G E L V X D L A T
T Z H C H X S G Q F T H K J J D F U T Z
```

BANGS	CONDITIONER	HAIR	SHAMPOO
BLONDE	CURL	LAYERS	SHORT
BRUNETTE	CUT	LONG	SPRAY
BRUSH	EXTENSIONS	NATURAL	STRAIGHTEN
COMB	GEL	RED	STYLE

FAMILY TREE

Puzzle #38

```
A J Q K C Y D H A L F S I S T E R X C E
Y F X G H Y J T L D F W O L Y G N Z A F
M L B O D T Z C H S T E P M O M Z S X J
C X B D V G S T B W E M M K E L R M G E
O K G M B J K T W G R A N D M A A S O I
U J C O S T E P S I S T E R X P T Z D C
S S X T X T O G N K P T D X D B C K F N
I I F H H O E A G D T V E N O Q H S A M
N S R E H M F P Y E W H A P R Q R Q T M
H T I R E O T J B Z W R I E D O L T H N
A E V J D T C D U R G S H T T A N E D
L R A U E H J W S W O T K S S U D H R F
F F H I S E C A D X O T E O A G I R E Y
B H I Z C R M X Y R O C H R S A F L T B
R Z C O E Z X V B D N F Z E Y N C I O C
O Z J A N N X R R A B A J X R N D U U V
T T L I D L F B L C T F W B U E O Z D Q
H T N T A F O V R M V R C V R C L Z T N
E Z E W N Y G J Z F A T H E R H C X D K
R H T D T Q P A Z U T A H H A U X T J U
```

ANCESTORS AUNT BROTHER COUSIN DESCENDANT FATHER GODFATHER GODMOTHER GRANDMA GRANDPA HALF BROTHER HALF SISTER HEREDITY MOTHER SISTER STEPBROTHER STEPDAD STEPMOM STEPSISTER UNCLE

WORLD COUNTRIES

```
T I E X T T N T E G Y P T M S Y Q C R T
M S C M J I E W G E R M A N Y I S X W V
J P K M L L N I C A R A G U A C F O T M
W U D B Y X E J V F N Z I M B A B W E A
Z K Y W F K O M E H G C F O M H J X O D
M W S M H H K Z L E A M R H X D B E I A
P T P Z L U A Z I S E R B O I N X F W G
W V Z R U S S I A J L B O E A C W J X A
I S F R K K O O W A E A J C G T N L R S
E N H R J R J V B R B N V U Q D I C N C
P A V R P O V O E G A G X A I T P A A A
S U Q I Z P I L L E N L M D W O T B G R
A S Z S L S T C G N O A W O V S H K B E
M T V L D O A C I T N D D R I S P A I N
E R V O Z M L I U I W E G N J D E W B P
R A R I Y A B M N X S A K T C G H V Q
I L K B F L Z R R A N H J Z E W U B Z X
C I V U B I H H C V G U R E I N Y V X J
A A Q D B A K Y E F V G R Y Y N Y G J X
X A L P M E E R A V P G H G G X F A A A
```

AFGHANISTAN   BELGIUM   GREECE   NICARAGUA
AMERICA   CROATIA   ITALY   RUSSIA
ARGENTINA   ECUADOR   KENYA   SOMALIA
AUSTRALIA   EGYPT   LEBANON   SPAIN
BANGLADESH   GERMANY   MADAGASCAR   ZIMBABWE

PREPOSITIONS

```
F D G A P G D G W D F I V E N T A V I P
O C W K Q L W U T L U K L C H J O E M A
L V I P P Y J W R F Z M I E C H R R W S
L R B N I T H R O U G H L A O K J S Z T
O K X E C Q J B U Z G E X R N Z E U U K
W D A A F L Q I E B D O P O C J J S W A
I U E A X O U Y N X T Y M U E O R V I F
N Z V S E O R D Y M C I Y N R W E N T O
G V A O P W I E I V Z E F D N H G E H P
K X P E B I D W L N M B P S I E A A I P
X A U Q W H T I Y S G T Q T N K R R N O
K I K C L P Q E C R B Y O W G B D H Y S
D S Y A U E U B E H I N D Q P A I F J I
T O H B Z T R T Y G O D P R W D N U Q T
C X A O P U N D E R N E A T H H G M I E
D I A U N B J N I Z B G L B V U K I B K
B U D T R K Q S E S Z F P A F C C N Y L
Z Y S W C U K B J X Y Y S L V E Q U S X
N L X V H J A T S R D L I K E X D S H E
F T G B A C R O S S P X Q T S B K N D Y
```

ABOUT	CONCERNING	LIKE	REGARDING
ACROSS	DESPITE	MINUS	THROUGH
AROUND	EXCEPT	NEAR	UNDERNEATH
BEFORE	FOLLOWING	OPPOSITE	VERSUS
BEHIND	INCLUDING	PAST	WITHIN

"___-ASANA" YOGA POSITIONS

Puzzle #41

```
E M T V P Z D K O B O O X P F S K L R K
B K A L H J E J D H L M T Q L U Q D C A
A H Y O L L F Z G N B D W O P I N J X P
S X D Q H U J Y A A M W D R Z E E T V O
Y S A L A B H G R L R F F B Y V X T C T
B A A N P I O J U T T A N S R L W O T B
V H E P J C M G D F D S T P U T K A T S
Q L U P O A H A Y X E A I W L Y N X D O
F N S J P P N A Y D M L N R R B J D H K
T S H E A F A U K U Z U V U S H A W A E
D R N E Q N E S S R R C G I A L Y L N I
G C I I K Z G J C I Y N V G R W Q Y U C
V E O K Q E L H B H R M B L G K X A R H
K Y O S O G U F Y X I S B X P R S D K Y
V M C H P N H R M T P M G S P K S E R C
V X G O E S A R V A N G O I W A E J T K
V K L V P P D X L B K G X T B H E K V R
B A Z A G S H R W H A F I I T P D B U B
S U K H F O L D T V S N B T I A O I T N
E O H H T G O M U K H W T T R K N X Z I
```

BHEK
BHUJANG
CHAKR
DHANUR
GARUD

GOMUKH
JANUSIRS
KAPOT
MATSYENDR
MAYUR

PASCHIMOTTAN
SALABH
SARVANG
SHAV
SIRS

SUKH
TRIKON
UTKAT
UTTAN
VIRKS

ELEMENTS

```
D N W H B P W E S U H H J F P E B T M X
I E R W S L N G O C D F Q R R M M U T B
K P L L Z Y B X D P E S A K I U I E N Q
R T P R J E E W L G Y W K E I N N O I A
D U A G M P V Q A X H D F R O P B I A C
T N S O V M S V C S G N U T A R X N R T
E I U N J Q Q U C E U C U O A P M D S I
R U G F D U F R U S B L B C H E H I E N
B M R W G X J O J Z P V G O M A N U N I
I B W L A C N X X B L B F N P O Q M I U
U S U Q J O P I L Y S K E L X Z D O C M
M X N D G B Z F T A G C F R U P X L B M
E H I W Q A E D K R X E A B Y O K D B G
Z G P K H L C D B A O Y N N E L R X Q X
D D C Y A T R O Q J S G U K D X L I J S
P H O S P H O R U S R W E B M I V I N E
J H L W K X F G M T Q G N N R A U E U E
S S O D I U M H G Z I R O N J T V M F M
W V K U Z I N C T S U L F U R Z G O U Y
A H J H Y D R O G E N Y P H Y X S S I M
```

ACTINIUM	CURIUM	NEPTUNIUM	SCANDIUM
ARSENIC	FLUORINE	NITROGEN	SODIUM
BERYLLIUM	HYDROGEN	OXYGEN	SULFUR
CARBON	INDIUM	PHOSPHORUS	TERBIUM
COBALT	IRON	PLUTONIUM	ZINC

WOODWORKING

Puzzle #43

```
M O P A N E Y F Q D T P M N D X R T C V
G F W V D N F Y M Q A R I G C N O R O K
Z Z O N Y E E Z J M S X B N Z X S L Q R
D V R X I W G K L R L K B H E V E A M E
X W S I L C B J X N O T X Y I L W C S D
J N Q O G A Z O Z A H H L B O I O O C W
C F G W H H S N V W M A P L E R O Y E O
N X L G Y R O H D B A A D H B Z D U D O
J H V O E B A Z L U H L L B S Y S R A D
W L S V Y B K Q H L G Y N B M P O S R H
G Z M B O Z G W D K C O X U F O N H J I
K F A M H C L T C Y O H K D T P J N M C
L P H X D X J O T O D X E F B L F Z A K
D V O N C O L O F T I Q J R I A P P C O
M X G I Y M V T W E S M H Q R R N P A R
N I A W E G W N O A F P L S U Y C R C Y
Z J D H N M G Q B K N V R B E E C H A U
F S Y M N B P B I R C H L U J H D U U S
I X P X Q A P T M D K U U L C Y R S B N
R X E E W U B C L R I I I Q N E X X A E
```

ASH	FIR	MAPLE	REDWOOD
BEECH	HEMLOCK	MOPANE	ROSEWOOD
BIRCH	HICKORY	OAK	SPRUCE
CEDAR	MACACAUBA	PINE	TEAK
CHERRY	MAHOGANY	POPLAR	WALNUT

DINOSAURS

Puzzle #44

```
K D E I N O N Y C H U S R Y L A L I I G
M Z S V D I L O P H O S A U R U S X S P
L P M G H S V V T N Q T C G P A Z U D F
J D B W X X C C A R N O T A U R U S E G
N B A R Y O N Y X E H S R Q O Q P A P I
Z S V U A U T A H R A P T O R B G O S G
S V E H R Q U D V Q P W W O E L R D O A
P F L A R G E N T I N O S A U R U S U N
I S O T H E R O P O D S D M G U T G B O
N G C C L T M V Q W W Z B L T Y R M R T
O N I A R C H A E O P T E R Y X D U O O
S S R J Q G T I T A N O S A U R U S N S
A A A X A P A T O S A U R U S V R U T A
U U P V I K D I P L O D O C U S C R O U
R R T U H Y S X V I T Z P N N M S L S R
U O O N T R O O D O N F Z K B Y E L A U
S P R F W V K D G A L L I M I M U S U S
M O Q V L O A L L O S A U R U S B E R P
Y D K K F T Y R A N N O S A U R U S U Y
R S V W Q Y U K D M B F T Z U L U G S L
```

ALLOSAURUS
APATOSAURUS
ARCHAEOPTERYX
ARGENTINOSAURUS
BARYONYX
BRONTOSAURUS
CARNOTAURUS

DEINONYCHUS
DILOPHOSAURUS
DIPLODOCUS
GALLIMIMUS
GIGANOTOSAURUS
SAUROPODS
SPINOSAURUS

THEROPODS
TITANOSAURUS
TROODON
TYRANNOSAURUS
UTAHRAPTOR
VELOCIRAPTOR

CHEESES

```
D W U X L X S C U N S W I S S S S K Z H O
R J E O R M J Z Z E M A S C A R P O N E
C A Z M I X X H A V A R T I I J G H A Z
J H W T P R O C E S S E D K G W O T T Q
N K H J Y Y E P R O V O L O N E E N R Z
C W O U J S T I L T O N C W R F U G Z Y
S A S A S L H Y Y W Q R T I X Y V O F F
Y F C R E A M J X K C M U S C O B U R Q
Q V E M O N T E R E Y J A C K M E D E D
V R J V A J B V L V G S K Q O M A S K
B J N O Y E L R B P Z Q M J Q Z M M H P
P L G K H C G C H E D D A R E Z E J V Q
D U L R O I O N S B E R T G F A N F C M
C A M A M B E R T X T J N X N R T W J D
F D V A D V Q Q S J F V V K G E A C L K
H E A D B K M A N C H E G O U L L Z P H
R W E D T I S H A N L C P L K L V B N Z
V R I C O T T A X J O N B W N A Q R H W
G H C Q M S Q E W M A S I A G O U I R G
E E E P A E B Q B S C W X C K R V E Z Y
```

ASIAGO	CREAM	HAVARTI	PROCESSED
BLUE	EMMENTAL	MANCHEGO	PROVOLONE
BRIE	FETA	MASCARPONE	RICOTTA
CAMAMBERT	FRESH	MONTEREY JACK	STILTON
CHEDDAR	GOUDA	MOZZARELLA	SWISS

RANDOM OBJECTS

```
B P A Y S O F U G O F O R K K V A F C Y
L J X C F O P L S S D C Z N W L S N Z E
E R X Q N A S T V J O A H O A O J U T T
E Y J P L K R K J R B M E T X T L B X U
M H J W A G O N C L W E A E W I W U D Q
Z F W I K Z K B M E X R D B L O I D J R
N X Z E E S R E Y R Z A P O S N N G K M
Y S V F I X U R G A P P H O L O D A I X
S Z M R V N G E X S X C O K R L O V D N
E W Z A K T V J R E S S N Z C B W X H B
P R F M H E O S C R H T E Y L H T K M U
T W L E V L R D U I A E S Z U K S N L W
U B K I O E S R U U M R N F L X E C X Q
E R A Z T V D I A R P E E L O K Q K N Y
J E N E O I G N X U O O J B V U Q R U D
V A T L G S I K T U O Y X H K V V C E O
U D L C M I U S R T H R E A D H W D G L
K R I N G O Y D I S C I D M P Z K D M L
A L D D N N P S P G K T O Z W Y N D X C
S O P S C M S Y A L W U S N F U A U P C
```

BOX	DRINK	LOTION	STEREO
BREAD	ERASER	NOTEBOOK	TELEVISION
CAMERA	FORK	RING	THREAD
DISC	FRAME	RUG	WAGON
DOLL	HEADPHONES	SHAMPOO	WINDOW

BANKING

```
S O D Z G F V X P R D L N B E Y A Z L A
M M D R J L T F J S W E F N T A S T L S
L A D R D I N M D G H A B F D U M U J X
E C R C D W P M E M E Q A I S X B Y M U
I H U E Z Z W C A U O R U P T H M X C G
S E R W M J Y Z X P D R I B K R R D H D
I C C I O G O S Q R Q R T T K R W W I H
A K O T E Y W P E A K T O G E L O I P A
V I L H Q B J V C Y I Q Y B A R P N S X
E N L D W Y O R S S O J M S R G G T L Q
P G A R K A O P O A F U T O A X E E C Z
C A T A L X D P E R N F B L N A K R A S
E G E W A N E H C G A M L S B R S E R I
U Z R A H D M M N R E S Z A L F J S D M
E Q A L N V M I D C I H K W H X Y T K Q
D Z L O Q P T D N D U I A C C O U N T A
G J B S N U D A R X S A V I N G S P B C
V V K A O N L Y J H L S P X K Q F Q U S
K D O R D A Z F J R D X X Z L S J P W S
U L L F B U C A R C O M M I S S I O N O
```

ACCOUNT	COLLATERAL	LOAN
BALANCE	COMMISSION	MORTGAGE
BOND	CREDIT	OVERDRAFT
BORROW	DEBIT	ROUTING NUMBER
CARD	DEPOSIT	SAVINGS
CHECKING	DRAFT	WITHDRAWAL
CHIPS	INTEREST	

HOPPY EASTER!

```
O H A S A N C Y B T U N K A A E C D Y E
R H O P C Y E F R J N A X O F Y G Y P A
B J T B Q H W H Y E F S A S N V K D A F
P V E H U L O S B F S G B N L N O Q M N
T G Y S R N J C P P C U U R V E C Y B G
V R J N U Z E V O Z P B R Z E H H J A V
G L E O W S L E E L T K M R P F R S S M
S G M A V V L J E T A H X H E W I U K U
B H F O T X Y I H V K T Q E A C S W E Y
C H I C K S B T K Q V V E J W O T N T H
W V Y Q E Z E Q V R I S Q Y R Y I I Q D
J F Y U D B A C Z I G E L F G P A D O C
H O N H P M N H J J D I S V P W N D L N
Y U O S R M S B N A M X G S J U I M N V
T I N D U T U W R A E I F I Q D T L A Z
B Y K T P G Z A F I L P F S V J Y Y B B
E G G S H V P D E C O R A T E V U G K N
O A J W G R A S S A F I N D R E J A Q F
V M B H I D E O C A N D Y A C I Z M X V
Z K H C K A C G P G U C M Q B B I G S X
```

BASKET
BUNNY
CANDY
CHICK
CHOCOLATE

CHRISTIANITY
DECORATE
DYE
EGGS
FAMILY

FIND
GRASS
HIDE
HOP
HUNT

JELLYBEANS
JESUS
PARADE
RESURRECTION
TREATS

MERRY CHRISTMAS!

```
U I D U G Z B E T H L E H E M Q L H U T
I C I C L E S Y A D T V E P L K N T U B
Z X P C V R T V G O P E N G A N G E L S
C X P R G S M J F R M L D D G R Z W V N
N O G N O M S A N T A V E E Z N Z X T X
P V L R J M U E F B R E C C W X O B Q L
O V F D E S D T D A N S O E Z A U G K N
W X O Z N I O L X N Z E R M V D M Y R C
K J D L T F X Q H R K Z A B V C Y K K E
F D Z E V T J S M S K E T E Z H O B V L
K A L M V J O L L Y P G I R G I U N Y E
S U R X Q U L H M O T R O W G M M N H B
Y R C M I S T L E T O E N S L N K A J R
L I K Q S U D I U W V E S Y W E L H M A
T L Y E L C R V O E A T Z F Z Y H S U T
O L K D V E W D P E C I T L A I L L O E
D M E D H J E V F L T N T C I L E E O L
P S F H P H M E H A J G Y W E V Q I S A
G T F I H O L I D A Y S F B D N P G X U
G I F T S A J S W K B R R O K E E H B O
```

ANGELS	COLD	FROSTY	JOLLY
BELLS	DECEMBER	GIFTS	MISTLETOE
BETHLEHEM	DECORATIONS	GREETINGS	SANTA
CELEBRATE	EGGNOG	HOLIDAY	SLEIGH
CHIMNEY	ELVES	ICICLES	YULETIDE

HERE COMES SANTA CLAUS

```
M P I Z V A N V J K V E V N Q X H Q V E
W V X F X G X S Q G D U T A Q M K F L G
S T C V H H B O C S O U X U T H A P O P
V X X Z C J A H B L N S V G C P G Z N R
Q K V O P J H T E W N E W H E A F H I P
D G I Z L T O A A I E Y O T I A F X C W
Q E X P H W P O R W R T O Y B P G K E V
W V E C O M E T D F A D E R A F A I A L
L L N X B C I R G P R E D S U I T N G M
X K K H A Y X J R I D C M M R D X U P L
C H J I G Y E E W U F B L T F K O F N I
C H C C X Y H U H D S T Q C M S P L R B
C R I S T S R G D L J W S Y I W H D P M
K I E M A B Q E L Y L I S T M F W P R H
C G R D N V T E I A S L E I G H F R G J
C U V K S E B I T N X L H S I P W A V D
Q U V B Q W Y N S W D B L I T Z E N I V
I F X G U Y A R Y L Y E Y L J L J C Q T
N H Q I T S D A N C E R E E T E L E F U
C Q Y X L T T C U P I D X R W N X R B D
```

BEARD	CUPID	LIST	REINDEER
BELLS	DANCER	NAUGHTY	RUDOLPH
BLITZEN	DASHER	NICE	SANTA
CHIMNEY	DONNER	PRANCER	SLEIGH
COMET	GIFTS	RED SUIT	VIXEN

HAPPY NEW YEAR! Puzzle #51

```
V V C O O N O B J H P X S M V E I T L H
S Q A X M U S I C H P I I B M S Q T M K
P Z S Y K F U P E F E K M N C T R C M I
Y J L V R X J W O W B Y O Z H E T W A G
I Y E R N R B W M E S I Y G K I K F Y X
M E X V H S M X D K T S I A Q U K R F S
F T U G L M B A R U R N M R V Y N D S S
J O P M O I R O L A D E I I R K J C S W
Z Q T S F A W O D I S N Q A C J I I K G
K H B P P E S N M I G P U O T T K W U A
S E N I R E E G O X T N L K T S T C S T
F X L I R L L N M U A C O E C C X C P H
D S F B A E A H A J T F F E E V D O A E
H L D C Y I I S L D F N H R L E M U R R
A V F X B T A C Y X O P M Z E H O N K I
T D K Y S D J L A C L L F C B S A T L N
S P A R T Y B D Q B A L L G R E G D E G
F A D V A B M T I M E M E V A W W O R J
B W K T U N K N E Z R P C A T U Q W S C
G X R B O J A J V A G C Q H E C B N R H
```

BALL   CONFETTI   JANUARY   PARADE
BUBBLY   COUNTDOWN   KISS   PARTY
CALENDAR   FIREWORKS   MIDNIGHT   RESOLUTION
CELEBRATE   GATHERING   MUSIC   SPARKLERS
CLOCK   HATS   NOISEMAKER   TIME

THANKSGIVING

```
B B E X O Q T S Q T P I L B T O L P S F
F G B O B P U M P K I N C I O G Q M Z O
O X A N V E N O V E M B E R J O I M L O
I T U Y S Q L Y H T V C B S Q R F K T D
P N L A F M R K D U D B E L G N L U O Z
X A D Q W O Q I U R N V G L J T Y O E D
B E Z I M Z C A L K A Z I X X V F A S J
R S M B A A N L B E B P H M F N I R G Z
H Q I V C N Y A L Y W S I R E G E K P L
L Q A Q D D S Q Y N O I E L M V R R P I
I I C E N L P P H Y J N R A O D F A D Z
C A E M B Z T M W Z N A G T E Q N C V N
T L A K Y X J J P I F N F L V P P Z Q Y
V H H O V E N C D A I E O D Y L Z Q O C
D F A Q E H P Y H R L R Y N Z Y B B L B
P E Q N B N Y A E Q E F I M J M W I F F
V A W I K R F H R S P H B Q N O I E E A
H S U R C F T R S A N I P H P U Z G A L
H T J K E A U A V P D A E H R T O Z W L
Y Q U C G S C L G O F E E S L H M A Y F
```

CASSEROLE	GATHERING	LEFTOVERS	PILGRIMS
DINNER	GRAVY	NOVEMBER	PLYMOUTH
FALL	HAM	OVEN	PUMPKIN
FEAST	INDIANS	PARADE	THANKFUL
FOOD	LEAVES	PIES	TURKEY

FIRE

```
F N J H C S S W K N W W J E V B U S O G
Z U N Q H Z E R O L L D E S E U C Y D U
L R Q R E T A I N W B U R N M I L Z U C
U B I H I P T D L D D H D B D L J W A H
O L H N S S H E D L G O M G F C D C V L
Y S G F U N L H I M O G D C K T A O Q I
F I P B L Q R W M W W L E Y J F B A A G
Y B M Y J E F E L X E X S P H C I L F H
Y O R Z D X C G N U D R T Y E A Q F W T
C L O N K N S J F D Z X R N A M U P A M
I Q I V Y H V R E U R P U Z T P C S R S
M T E T C L S W X Y P N C N D F H M M J
F L A M E S Q G P D D A T F Y I K O T W
B B U W P O F W I B J F I F L R R K G I
L V V T B F O P O N N L V M T E L E E H
A A R O X D X C X H F A E J V R C W I K
Z K I N D L E E G M M R O Y I S T P Y N
E Z C C L X H E A R Y E Q R Z C U C N K
I E P C D S Z F N M E M F M P H X L N Y
V A C O P S S M O L D E R R E U P K J Q
```

BLAZE	DESTRUCTIVE	IGNITE	SPARK
BURN	FLAME	KINDLE	TINDER
CAMPFIRE	FLARE	LIGHT	WARM
COAL	FUEL	SMOKE	WILD
COMBUSTION	HEAT	SMOLDER	WOOD

KINGDOM

```
B I Q W S X F M F E N N I C P E H D J H
Q O B T M N Q C E K N B N F A C J E N R
X R L L C E X U O R U L E R L C N S G T
J V O F N K I N G U T N N B A G L C A Q
F W O U R G P G T M N W N B C N V E W C
D T D Z U R N R U H R T N N E T Q N S R
R W L E A G F P L H R E R G N E V D H O
O N I O Q X T W Y U E O J Y U P T A P W
Y Q N M K B Q T W B C N D K L H S N
A I E Q A K H Q Q U M A N E K I A T I K
L U F Y K J Y M D C R S W T Q Y H S C L
X Z W Z F K W L C O S T Y E P K A P Q A
I I I S H X E P Z R B L S R E N G O K N
V B G R B C J B E Q O E M R G I V W W D
D R N E N Z F T K J N O W I X G Y E N P
P I R I Z N R L G M Q U E T B H T R U L
B O R X L A J W P K L Z T O U T L F Y K
I P E L U R F C Z J V C A R M S R N W R
U G Q Q E M M O N A R C H Y Q W I M T J
I M A J E S T Y P R I N C E S S T A R U
```

BLOODLINE	KING	PALACE	QUEEN
CASTLE	KNIGHT	POWER	ROYAL
COUNTRY	LAND	PRINCE	RULER
CROWN	MAJESTY	PRINCESS	TERRITORY
DESCENDANTS	MONARCHY	QUARTERS	THRONE

WATER EVERYWHERE

```
R W U A Y H J F P G T W N H P S J S F D
I Z S D T J J Z S O Y F E M D T F O S S
V O W D L J Q W F J O C P N U I U Z H J
E F J H U M I D I T Y L A C E Y F W Q G
R R H P X H R O W C W L L R G N S P Y D
A O H Y B G N A R Y T Y C G C M L I N W
Q S X L A K E Y K E P R O A B O B O F P
K T X P I D U L W Q R S N T U I P R L I
J A F L O W X Q Z K E V D V W S V L O D
E C U T J G D E W I C R E Q D T G X O V
X O F E S M R U U T I A N P G U A L D K
L V I C T I O B Z P P I S U T R B D J J
M G O L E K P K W Q I N A B F E Z G Z D
O Z C O A X P L F U T W T A M O L J C W
R F E D M R W E F P A F I V D I B E F W
Y E A N R O W P P B T D O P P O P H E Q
N Z N L N Z M D C F I E N L H Y H W C G
G G K S P A Q P G W O H C H E Q E J X V
O R F V D X E X U Z N H W S O A K P H E
L D E A R L J R X U F S H O W D V J D W
```

CONDENSATION	FROST	POND	SNOW
DAMP	HUMIDITY	POOL	SOAK
DROP	LAKE	PRECIPITATION	SOGGY
FLOOD	MOISTURE	RAIN	STEAM
FLOW	OCEAN	RIVER	WETLANDS

HELPING HANDS

```
H H K B L D U B Y K J U R Y E K H X S N
Z H J F K A U V A I D O R O H I Q Z A S
E C L Y R B N N X O U R Z Z M J N L F U
S A P I K I D M M R A S G Z O C U W S C
B R B Z M W E H T C G Q Y N G O R V X A
N I V F O D R N A Y S B G T M P T G A H
A N U Y A Z S A D P W U T C N Y U U U T
X G Z D M A T D D S L S P I S W R I K J
I I A A U K A O R S H C Q P T F E D F A
A Q N U G I N N U P C I M M O S N E Q Q
S X C P M N D A E X G L P D M R S R X W
S M L Q S D I T K D V E M I E T T E R L
I X N I C N N E S E R V E C S G H N U R
S D I V H E G L M E D K N E F E U D C N
T G V K Z S I K J Q N O R S P N Q E B T
J J Q C K S N T W W C H J A P E L R A M
C O N T R I B U T E C O M F O R T Y F J
Y R O K I P G M S U C C O R G O P Z Z D
K X B T E X A M E N T O R G A U E Y Z C
B O H M N W X L E N D D R N S S Y U O J
```

AID	CONCERN	GUIDE	RENDER
ASSIST	CONTRIBUTE	KINDNESS	SERVE
CARING	DONATE	LEND	SUCCOR
CARRY	FRIENDSHIP	MENTOR	SUPPORT
COMFORT	GENEROUS	NURTURE	UNDERSTANDING

STAND UP

```
R K I B B C T O D V Z Q Q S U Q Z U A Q
R B M B P D H S T O Q Q C H H Z Q I D L
N P I C Z V I M J Q Z I F I Y O Y V R Z
R Y H T A K L B X E T B G D M K W E I R
N B S Q Z F A N J N X H E H U U L L F I
W J L V W X R D A S G M U M V L D V U H
E U V E S E I K O P O D B M E W N M N M
G Z S P O N O Q P C M B L T O S H B N I
J N U C J T U L A G T F Y T W R F U Y C
A R Y M F E S X T T I R D L U P O K P R
Q F A O F R R A C T O W C O K I J U Y O
G S O N H T P C O T K A X H J O K E S P
Z R D E W A Y T S K E I Q Q U E J B A H
L A B N V I C O M E D I A N C C K D I O
D P N G Q N K C H L A M T N M J K P Q N
N P B Y C E L E J N S W E F I N E L Y E
S V K R L R W Q T Z O I I M T P Q S E J
W R I N O O F D S R D T T T L C T F X
X C J E W Z S E A U Z T L A U G H T E R
F B C F N E L B A B H Y S A T I R E X H
```

ACT	CLOWN	HILARIOUS	SATIRE
ANTIC	COMEDIAN	HUMOROUS	SHOW
AUDIENCE	COMEDY	JOKES	STORYTELLER
BIT	ENTERTAINER	LAUGHTER	WITTY
CHUCKLE	FUNNY	MICROPHONE	ZANY

L-O-V-E

```
U H A P P I N E S S A K W G K V D M P S
R G D A I F S S F V T W Y H T B E N N S
Z B E A P Z S E P R X L T X H A U B Z L
K R T R P T R U E R I M R I E J A V X R
R O I S Z P E G B V R E W K A U T H G J
Z M Q W A X R R E A D S N K R Q L Y S S
O A G E K P K E W N E E K D T N O Q Q T
B N G E N G W X C G T P S H S H R W O A
J C C T C F S X A I Y L S I D H Z M R B
N E T R D A L I I L A U E V R C I A U I
O L P U L Q R P I L R T V N Y E J P Y L
D H H S Z R W M X T Y U I V E G H R S I
N I D T A C A R I N G U V O B S Q U D T
B F S M K F S U P P O R T H N W S G K Y
G H L B Z E U N C O N D I T I O N A L G
X I L C R O K R G J E A D T B W N G M L
H U P H R F I K H R V V B G Y M D Z B X
U H W B P V I D C O M F O R T Q M P T C
L K A H V R P A S S I O N M I N K Q F E
T J S U G R F O R E V E R A H M B B Y R
```

APPRECIATION	FOREVER	MARRIAGE	SWEET
CARING	FRIENDSHIP	PASSION	TRUE
COMFORT	GENTLENESS	ROMANCE	TRUST
DESIRE	HAPPINESS	STABILITY	UNCONDITIONAL
FAMILY	HEART	SUPPORT	WARMTH

SPRINGTIME

```
J L S N A Z O K M W I D H J U M M E L T
O B E W F I B L O S S O M Q O G M P A S
O Z R A I N B O W R J Y D K Z O Z T F H
B B Y D G Q X Y F X B V V P U D D L E S
Q J Y W T M A G Y W F D V J Q G K E G B
H M P Z Z M L F E M S I G J Y I R U N N
Z P U N A L M L A E B Y Z K W G R O W G
P U X A I Q F O R A V P B R E E Z E W E
K D O R Q Q H W M N J Y N N V I R X U G
A G P B R L O E F F Q C R M E K Z I U E
U A M B E P D R N T V D K Q G Z Q J V B
X M O A V E G S W L O V B L I S S F U L
E R B V C H V G F B C G G R A S S C W S
A A G R E E N Q K S D N E S T R D O I N
A I L T E B S R A I N C O A T O J N X S
W N R I N L C J U X Y Z E F G B H W V T
G M C R V C L Z B L O O M J U I S E W H
L L H H C B K A S P R O U T C N B L P Y
A R F B J K U H X M B U T T E R F L Y B
G Q E K W W Z Q B A C O H V W W M A D P
```

APRIL	BUTTERFLY	MAY	RAINBOW
BLISSFUL	FLOWERS	MELT	RAINCOAT
BLOOM	GRASS	NEST	ROBIN
BLOSSOM	GREEN	PUDDLES	SPROUT
BREEZE	GROW	RAIN	UMBRELLA

SUMMERTIME

```
V I T D R X W M W K I K V K L V D P G I
M A G V I B E A C H T L Y H Y G S R G H
B B F H S V O V F E H V Y H A U G U S T
T Y W Y G J C A M P I N G P F J I A F E
R U I Z J N U X J Y M G A R D E N I N G
P O O U T S I D E S N F O P G P I U U Z
S I F G G W X V H U M I D I T Y X B T Y
U B C F V R A H W V T R A V E L J O Y F
R Q S N N C Q R R R P H Q L A Q S E U D
D T O R I N H H F E B E C P B Q D A E C
N A C U G C D L Q E L I F E F L S U Z A
W N E C A Q B B B R K S A G O R D H Y S Q
V I A T G P E V T P T Q X P I G K K R V
A Y N U B H R F O U J U O G S M B L R A
H U R C F R R P H W J U L V B J U L Y C
V O C J Y D I Q Y P C X W I E C A I U A
E D G N W V E B B A S G T K E S O V E T
M T N Z S Y S T W R E Q R H E A T N E I
T U H G W X E Q R K E W E E E F U N P O
S N W I V V G P P I I Z V O K J Q W S N
```

AUGUST	GARDENING	OCEAN	RELAX
BEACH	HEAT	OUTSIDE	SUNNY
BERRIES	HUMIDITY	PARK	TAN
CAMPING	JULY	PICNIC	TRAVEL
FRISBEE	JUNE	POPSICLE	VACATION

AUTUMN

```
V L R A D Y Z L S Q U A S H P Y G X I L
D D V K O C T O B E R F H J L N L A H M
N O V E M B E R P Y B Z H L I L S A S N
H Y Y X T V M G O T C E I V A I C O V A
X L E A V E S A Y K N H I B A Z A L A I
C O B W E B H P Z U C G T T H R R J S G
R U A Z E H M H R E S O Y Y N T E B X S
X F C T Z H F H Q K O C N D M T C S Q R
R J N Z J S M H N F Z M R I D T R P H I
C I Z N M U W A Y O G V N T S R O X E W
H A O Y M Y H J D P F Z V E H N W E G Q
E F T T M T G H S G O P V E E Z L G E C
S C G N R C W T F X E R U E Y X Q O U T
T B Z R A K E P J C A F W M T V E U N R
N X H A Y R I D E H E O W U P G S R W E
U Y K H R G B C P Y L O L M F K R D O Q
T X Q X G Y L O O L A E N B N A I C I S
S E G P F N S V A R I Y I M E T L N Y A
K A D I E V S H A B N V K D G J S L W G
I R I O I I K K Y H W C I D E R Z O Z D
```

CHESTNUTS	FALL	HAYRIDE	PUMPKIN
CHILLY	FOOTBALL	LEAVES	RAKE
CIDER	GOURD	MAZE	SCARECROW
COBWEB	HALLOWEEN	NOVEMBER	SQUASH
CORN	HARVEST	OCTOBER	THANKSGIVING

HALLOWEEN

```
R W I K N A T T N G H O S T R G X L P Y
S K U L L S M H B O K B O R U H E I F Z
P X C Q S A Y D H C E F V G F Q E V B Y
X G J M E U P S I R A F K A G N N G A M
Z L X R K A E T W E R E W O L F V Z T T
G H C R G P S F N J B K A L E U M C R O
I S A Z U M O T O M B S T O N E M N J A
R V T U O J G J K T C A R V E Y O K Q K
B F H O N K B P W W T Y O H P K O D E H
A B R F Z T I A A N K N K J U H N A W B
C B H K R R E N E O M H X D G O L R Q E
A D C R Y I V D O N P K A O O P I K I N
N T Y G O D G P P O E P Z Q B M G N X E
D A M E D T S H M I O P B U L R H E B W
Y S A L G Q U W T E J L C O I J T S L W
S K Z S P I D E R E Y M X A N W Q S O Y
H I F A F R A I D S N H U Z W E Q S O F
E A U K L R R L N B N I U M U D S U D C
D Q B I B C J O I W E T N T M P J T M W
Q Q N C U R J B D Q V H M G I Y B L T O
```

AFRAID	CANDY	GOBLIN	SKULL
BAT	CARVE	HAUNTED	SPIDER
BLOOD	DARKNESS	MOONLIGHT	SPOOKY
BONES	FRIGHTENING	MUMMY	TOMBSTONE
BROOMSTICK	GHOST	SCREAM	WEREWOLF

BOATS

```
U T M E D E C K H A N D S W M F D E P H
K F K B D D S H B G R H Y I W K G R W X
A M P X W C O Q M L A H G P W M Q U V G
R I S E S I Y W A Y V L O Y A T B J J W
Y I A E C T I P S N V C C B C P V W A F
N V I V O P C J T E O R Q K L O U S A C
V K L E N P Y T S I L U A S I H V D R Q
O O I C V N B I D F R D Z T F K W O I R
T V N A O S A R W G L U K A E G I C G V
C E G P Y M D U V G D Z C O B Y L K G J
S R I S M A D G T V A C M W O B K I I Z
O B L I F O P I H I H G N M A A A N N I
Z O C Z V P M H Q K C O N A T R P G G S
K A C E M Y N M L C E A V N B G J V E E
H R P M B T V Y Q L Y I L C R E I P E F
O D Y Q R N O B L O W X Q H L G Y Q A H
I I H G I F F A U N I K G O R V W A K E
S P L B B R G B G V Q E I R F A O Y K W
T Y A L Y B E A M D N H G K U J L F B J
O C L C C R U I S E O T U S Z X C R E W
```

ANCHOR	CAPSIZE	DOCKING	NAUTICAL
BARGE	CONVOY	GALLEON	OVERBOARD
BEAM	CREW	HOIST	RIGGING
BUOY	CRUISE	LIFEBOAT	SAILING
CABIN	DECKHANDS	MAST	WAKE

SOUND

```
E J F Y W U N Q J I E Q X L E E P W W U
T S E I H W Q R I N G J X M C B E E P G
M S O F T K S T G K N N G U N M U S I C
T P M M Q Z E Q P G Y G G A G N V A A P
K F J P N K E D E C I B E L X K K H C P
X S W C V I E U S Z Y T D V B J U I E O
U E A H B C V N O C B V I B R A T I O N
M L J U I J X P N W K T W S K M Q G G U
F Q U O D Z E E H B H X F O Y O U W N I
Z D V N T I U G Z P A I L O U D I R D A
Z H M O M Q T F G N P C R K U W E M Y M
E Z U P E Y N O M T A A O H N B T W S B
L X N R V X L Q R T T E F U T O C D S I
G Y F A A J I T T Y O Q A J S U I S O E
S P E Z E V W R E I E N A R V T B S F N
Q E T Q V O T H N U O K E U S B I O E T
L I S T E N I N G F S I H T D D Q C R G
K V E N O G B H E A R T V V E I R R S Z
A K Z X K N I P G X R R K A P J O C Q I
U O L Z B X M D T M K U W M Z I M K I P
```

ACOUSTICS	DECIBEL	LOUD	SOFT
AMBIENT	EARS	MUSIC	TONE
AUDIO	FREQUENCY	NOISE	VIBRATION
AUDITORY	HEAR	QUIET	VOICE
BEEP	LISTENING	RING	WHIR

CINCO DE MAYO

```
F X A O L H B C C L U M S T S I H V C I
T S G R B D A Q E A F X G T R A K E O N
H L R S L A N Z L G Z X K R G A R T F A
C B W N X N D C E A R P T A P B Y M E H
C A Q R P C S M B T J I S D W W M C S J
E H V B A I M N R W X Z O I N A U O T R
O A W R R N A L A M P Y M T R Y T S I D
V E X Z A G R Z T H J H B I Q O T T V L
V Q E K D E I L I I D X R O Z O I U A R
K N I G E F A H O F W F E N N B O M L X
X O V A B F C O N K D W R K W L D E M G
Q B O S V C H L T V M W O L B P B S X D
V B S I C D I I G O M A R G A R I T A S
P Y P N T F N D B A U W A Z P A C W J S
A E A G E O X A Q H I R F H O L U B M H
R G N I X O V Y L D R T I K I P L U L B
T S I N G E M U S I C E S Y M T C R C
Y O S G T E V F B Q X N S N T S U J A B
G A H I B L Q J A W N U T Q T S R D Z L
S Q Z Z M E X I C O B Y A D Z T E G W Z
```

BANDS	FESTIVAL	MARIACHI	SINGING
CELEBRATION	FIESTA	MEXICO	SOMBRERO
COSTUMES	FOOD	MUSIC	SPANISH
CULTURE	HOLIDAY	PARADE	TOURISTS
DANCING	MARGARITAS	PARTY	TRADITION

NAIL CARE

```
R  H  V  P  E  D  I  C  U  R  E  J  N  N  F  W  F  C  H  U
V  A  H  V  K  H  X  M  H  D  X  G  N  R  X  M  C  K  V  F
Y  N  F  X  Q  T  P  S  R  G  O  U  F  L  V  J  E  O  R  X
X  G  D  K  S  F  U  A  P  W  O  F  E  C  X  B  B  K  A  V
O  N  M  X  A  R  O  F  Y  I  Z  G  A  P  Z  O  Y  R  M  T
Y  A  P  P  B  B  A  C  R  Y  L  I  C  T  K  J  O  W  A  T
C  I  Y  R  Y  P  B  F  Q  C  M  A  T  T  E  L  Q  T  N  W
L  L  I  R  D  I  O  Z  U  P  A  X  T  F  O  K  J  W  I  H
V  A  E  W  Q  Z  I  P  O  L  I  S  H  C  Q  B  F  L  C  V
E  M  Z  D  I  S  I  N  F  E  C  T  A  N  T  K  I  G  U  J
E  Z  D  E  B  A  R  L  G  Z  E  B  I  L  M  W  N  C  R  Y
Y  A  Z  J  I  E  S  C  X  S  B  T  G  S  P  U  G  A  E  P
X  N  V  P  T  V  H  P  A  K  A  R  L  O  G  D  E  P  C  N
E  A  X  G  Z  X  T  B  A  R  P  B  U  R  W  C  R  F  C  R
N  U  X  Q  N  X  W  R  E  C  S  E  E  S  U  U  N  P  B  T
T  U  B  H  K  Y  Q  K  D  G  E  Y  P  C  H  T  A  C  L  P
O  W  B  D  V  R  K  S  N  J  I  T  I  I  N  I  I  E  F  O
M  A  F  F  K  V  U  Q  Q  T  F  M  O  E  A  C  L  Y  M  L
S  J  F  O  Q  Y  D  S  G  J  J  S  U  Z  N  K  L  N  I  X  Y
G  I  G  Q  W  M  O  D  U  V  O  Z  Q  D  E  E  O  J  L  D
```

ACETONE	COAT	FINGERNAIL	MANICURE
ACRYLIC	COLOR	GEL	MATTE
AIRBRUSH	CUTICLE	GLUE	PEDICURE
BASE	DISINFECTANT	HANGNAIL	POLISH
BRUSH	EMERY BOARD	KERATIN	SPA

HIGH SCHOOL

```
Y K A Q I B O O K V M E B H R E W D E L
G O D N R O B I N D E R A O B W Q S O N
N P R I N C I P A L P J C M C A L L H P
S B X J E S R H G R T P K E Z Q N V L E
V Z S L T V N B O Q F Y P W S W R N Z N
A N V K U R P T S P X N A O Q X K Q X C
O D D U A N A F P M O D C R G V U W R I
E F B E P L C Y P I T A K K X P M L G L
V L L B U I F H T T Z D A E B T C I O U
F T N C B O B S N P A G R A D E S B E P
L L L B Y P E E D K P C G Z W A Q R T C
O A C H R U M H Z Z R W L U B R R A E Q
C K G Y Q N Y I T U Z R D A G G A R S R
P Y T E G T U C L A S S R O O M Y Y T M
T I B I E Q T Z O N F V A H Z F Z G B S
X O S J P N S I L P D D C J K K F D Z M
W S P S Z A C T E A C H E R S Z F H O K
A M K L M A P K G R M Y B E W F I F O Y
P L B B T U V H S S T U D E N T I L W Z
F J F Q J P R O J E C T U M U B F V K O
```

ASSIGNMENT	CLASSROOM	LIBRARY	QUESTION
BACKPACK	DESK	LUNCH	QUIZ
BINDER	GRADES	PENCIL	STUDENT
BOOK	HOMEWORK	PRINCIPAL	TEACHER
CALCULATOR	LEARN	PROJECT	TEST

THE WILD, WILD WEST

```
Y L J H Y I B C Q K S I F D T V D L F L
Z R M D H R H O X G A I Y C T I P K R A
W Q W P T A J W B N D G I Y A F P C L W
W O R W L N K B O L D U I N M O R O A L
H Y K S U C A O X O L D N O X W Q R A E
F W R O D H C Y K E E A U O U Q Z R H S
P H U K I C O M O D D G T S S J L A H S
Q R C H A P S Z U N Z X E N L R D L O C
K B J W B O J Q A Z T G R Y U B Z P L F
P R U R Q M T B J D U O K U I D F S D D
U U R O D E O W Z B H V F O N M L T T V
Z K L D R Z A V U G S I P M O U N T E B
L F M Y R Q B O N M E T W O K O O U R L
S A L O O N G O Q C J F I M J G E F N M
S P U R S A L B B Z D P M R T B E H E Z
V R X Z Z G N H F S X P E L R V D S H A
T Y R F R O N T I E R S M A N U R Y M T
P I C A T T L E W O U T L A W O P T V J
G P G A S M O F A D P M V S H I L S F I
P W N A Z B B E G U N F I R E Q U V N Z
```

BANDANNA	FRONTIERSMAN	LAWLESS	RODEO
CATTLE	GUNFIRE	LONGHORNS	SADDLE
CHAPS	HOLSTER	MOUNT	SALOON
CORRAL	HORSE	OUTLAW	SPURS
COWBOY	HOWDY	RANCH	STIRRUPS

AT THE DENTIST

```
O D P J W P N F X D D Q O M O U T H X N
N L Q D E O D J C F A N E S T H E T I C
W E B I O G C D L X P T S D N X N P G N
A N L V K H U L E P S Y J Q F X R A Y V
Z C U P X F S Y A M K M V H C E E V A E
V F T N U M B Y N E J F E I P U O N N G
A Y C B B Y K Q I H K L S M Q T Z S N U
V Z L F E I L O N Z D S P A A Y W I Y F
Q P W S F F O P G E D M L H S W L R E O
R A N V B L J C E K Y P B L S L O Q C S
F I C K H O I N G I N G I V I T I S W B
R B V Z L S P L Z F B P N F S E O R H C
S N B H Y S W H A I E D T P T G E J I A
G G H I D I N P B G T H V G A A E K T V
K H K B L N C P X H Z J B Y N R R V E I
Z P L D H G O V Q Y N X E M T G I X N T
C H E C K U P A L Z H V D U O L N U C Y
U X S H Y G I E N I S T E D N E K J W N
Z E A U O H Y X B B Y D E R X A B G Z G
D R I L L U A H F Y F L U O R I D E V R
```

ANESTHETIC	CLEANING	GARGLE	NUMB
ASSISTANT	DRILL	GINGIVITIS	PLAQUE
BIB	FILLING	HYGIENIST	RINSE
CAVITY	FLOSSING	MOUTH	X-RAY
CHECKUP	FLUORIDE	NEEDLE	WHITEN

TEETH!

```
G P L K I G Y B F E Y O L D M R I F D H
N C X L L B D O U X Z Z J L V R T T B G
S O O K A A G E D N F L L K U W R C P V
V W U B D G H I K K D J C T Q V X G E T
V B R U S H D N W S W E G U N A G E R F
D E B U A C X C H B U Z R N S D V I M E
H P I H H B E I P Q P Y F B C P K Y A H
F I F S D L N S P G Q Q T G I E I W N K
T Q E V L J A O S I J O F W H T S D E Z
Y R N J O I W R T H M P Z C D G E W N R
S M I L E R C Z V V R W A Q X E P C T O
N O W G Q L X C Z F R H E C E I U K C C
O K X B B R O O R E T X M A K B J D Y Q
B I C U S P I D V O T I C N X K S E K F
M Y E G U C N Q O E W W N I L B G C X V
D M R N K D N T R B R N G N Z E M A E J
P T O X A K W T W Z I B J E B K W Y N O
R J X L P M A J W E G T I M P A L A T E
A E M P A J E K R O O T E T J M B W M Z
F L O S S R O L O S V D I F E F J K I E
```

BABY	CROWN	INCISOR	PERMANENT
BICUSPID	CUSPID	JAW	ROOT
BITE	DECAY	MOLAR	SMILE
BRUSH	ENAMEL	OVERBITE	TOOTHACHE
CANINE	FLOSS	PALATE	UNDERBITE

MONEY, MONEY, MONEY

```
N Y I U R Q J A Q V L C A S H P T V W S
F A J M B U L J X R V Q P L K M K Q D Y
I S R Y K R Z E S M D F B Z A D Z P J A
P L J F H W M P V F K R F O Y U X R T H
Q Y P J B O M Z B G E K D Z R R N Z E X
U N Q H C T L W A Z G U U K Z R H P A J
A R W N P E Q U W L G Z C R A G O Q E Z
R A I U V R Z O P D V I N V E S T W K H
T U N I C K E L F C J A B Z R E B C C T
E W E F O A G B S R I S I P A H J M U D
R B X D V Z S Y K E P Z L I T F F A R E
D D P R G W R Q G D Z Y L L X R N R R P
O Y E F F K X V F I M Q A R P R X K E O
Y Q N D Q I U S P T B E M W Z M M E N S
P Q S K O K N I W R W U D C N H K T C I
T E E B R L S A R R E T E D E N C F J Y T
G V N Q Y Q L I N S S N P G E B I Y D Y
L L R N Q O V A W C R P H H E P I R I B
A G Q S Y N S D R A E S C Y A T N D M R
E N X X P H G X E P Q S N S J H Q P E F
```

BILL	CREDIT	EARN	MARKET
BORROW	CURRENCY	EXPENSE	NICKEL
BUDGET	DEPOSIT	FINANCE	PENNY
CASH	DIME	INCOME	QUARTER
CHECK	DOLLAR	INVEST	WEALTH

WAYS TO SAY "BIG"

Puzzle #72

```
A M W K P G F T D V K I M M E E O D M Z
C E S B A B K W K E S O L X P M E N E I
O A B H X S D H Q B E X T E N S I V E S
L R D Q I K T I M M E N S E Q V L V A D
O X G U P S Y R S F A H Q P M M I P K I
S X L H L T F S O O M P A W M T T P D N
S T C Y F T E V C N G I G A N T I C E D
A N K E S L E I P J O F N V E Z S H E T
L O H Y D B P C U T B M X A S T U M P M
N J U N W E P O Q R M A I K R N B A L J
F Y U R K X P N W E M K L C J U S A A V
Y O Y L C B O S O M O U L N A P T M P B
B Q I A M E Z I Y E N Y Z J O L A K D V
J R Y R M N K D N N U N L U R M N M D K
O P Y G A O Y E M D M T Y M Q C T Y L F
J S R E S R V R T O E K W B L M I D G D
E X S S S M Z A G U N R F O R A A T P E
X H M C I O S B C S T Z I S P P L S C D
E O C I V U Y L G D A Y B R O A D S I A
W D P D E S A E T P L O F T Y Y U T S N
```

ADULT	CONSIDERABLE	GIGANTIC	LOFTY
ASTRONOMICAL	DEEP	HEFTY	MASSIVE
BOUNDLESS	ENORMOUS	IMMENSE	MONUMENTAL
BROAD	EPIC	JUMBO	SUBSTANTIAL
COLOSSAL	EXTENSIVE	LARGE	TREMENDOUS

WAYS TO SAY "HAPPY"

Puzzle #73

```
T I Y F P Y W P M E R R Y S Z Q Q T N B
N N I A M U S E D P B C H E E R Y N Q S
L V Y J J P L E A S E D K J D I E L B A
W I C B M B E A M I N G S E G F O U F T
Q G D X H X L U P J O O I X M T S P X I
A O P V E G O M E U X F H W Z D O B E S
O R B J X M H J X Q I H G M E R Q E C F
V A T M J X G N X T Q Z A T O C C A S I
E T J P S J O W A S A H H D U I E T T E
R E W R E U J R R W Y G F D R R U C A D
J D K B W C G H P T I D H O V U R L T U
O S Z Q Q W O R D L B Z H X D L F Z I R
Y R U R N O X K E F O P C E K L P D C A
E S K U P M D D F R U G T H U O E P Z D
D G N J I H A V N E Z A I F I L O K N I
D L X J S G W X I I L C E G L P R F O A
L A H I J K A X H E Z E I I D X P T O N
T D H B D E X Z V Z L P R H M P V E R T
O W G U E X K Q O G M H E Z H K C T R U
T U W F T H E C O N T E N T J M T U W A
```

AMUSED
BEAMING
CHEERY
CHIPPER
CONTENT

DELIGHTED
ECSTATIC
ELATED
EUPHORIC
GLAD

GLEEFUL
GRATIFIED
INVIGORATED
MERRY
OVERJOYED

PLEASED
RADIANT
SATISFIED
THRILLED
UPBEAT

WAYS TO SAY "SAID"

```
I E K E Q P R O C L A I M E D C B U B D
L H R F P L J J M B E E N Y V Y G X L I
U P M V E A E H Z J P X X K O O J O G W
D C R P G H Z L O O O P K D I A T M K H
E S R O T M K B N Z C L P A C L H B U I
C L H R F R B X L T E A G C E P A B P U
L A U E J E Y H D V N I D K D U N Y K E
A M K R O I S E A C U N E N R S N L Y G
R E L Q D O R S G M N E X O E R O L N X
E N K B L U L U E H C D C W P I U I V M
D T O U T I A Y M D I N L L L T N K C B
K E O C O X Y C R R A E A E I C C M S G
D D E M V D A O C A T C I D E B E E A U
R L Q U E D A M V J E V M G D L D N N Y
O N D T E T J M R Q D Y E E U U S T S F
D L O T T J L E Y R L J D D J R F I W V
D N A E W D Q N V C J H V R Q T Z O E X
L T S R P Q J T C T H S K C X E J N R I
S A R E Z H H E U U K F T N W D B E E I
C K S D W T L D E L H J J R Q Z Q D D Z
```

ACKNOWLEDGED	DECLARED	LECTURED	PROFESSED
ANNOUNCED	ENUNCIATED	MENTIONED	REPLIED
ANSWERED	EXCLAIMED	MUTTERED	STATED
BLURTED	EXPLAINED	NOTED	TOLD
COMMENTED	LAMENTED	PROCLAIMED	VOICED

GREETINGS

```
L W D H O V X N T L F A R Y O X U K H N
J Q I Z T Q J Y L K L T R D U V E G U K
S I N K V T S H C O P Y F O F A E R J Z
C A P G O A A V U X E N I P Y Z N V A A
L Z W V D J L E C S H A L O M C K Y M K
U D H U D K A L I I J S D J P N P A B X
A R O B B Z M T A N I R J B W A Y S O X
L A F K L O E D O M Z B U S I M D O J F
K V J M H X N I A L D I T E T A M U K P
K O J F A A W A X R E E O K V S O P S U
M B W M V Z L V H F K G G O X T A H H S
D H L Q D S Z L P B U P L N R E U C W A
O J X F L J O V O O L G V N J M T W M L
L A B G G S K R Z N P D Y I F A B R A V
K M A M U V E J N J B X K C Q R T S E E
O B P D H E A E D O U D W H E H Q A G D
F O N Q P I R W D U B A Z I N A G N M M
C A F R Z K R B T R L R T W S B Q N C Y
I N R S H I Y S Z O L L O A Z A A U K K
V T E K A K J T H G S A V V L V K J E Z
```

AVUXENI	HUJAMBO	SALAM	SHWMAE
BONJOUR	JAMBO	SALVE	SVEIKI
CIAO	KONNICHIWA	SANNU	SZIA
HALLO	MARHABA	SAWUBONA	YASOU
HOLA	NAMASTE	SHALOM	ZDRAVO

____-PHOBIA

```
T M J O D O P H I D I O L P W T E G S G
F U M Q C T Q G V Q A V E K V U P E T L
Y R H N H O H C U G P Y I E Q V N R W O
N W Y K R Y P A Q B O R N N D J H A M B
N T N H O Z O N L G O U D O E Q K S E O
W V K Z N N G J T A A A X A O X C C H D
E P M M O M O Q L W S O Y N G R E O Z T
H W Z E Y M N F A E L S I C C M M U G U
Z M X V T S O M X H U E O C A D P L A K
D X W U Y A O U C S L I E N R L H R O S
C H X T V S T O B A Z D P B C Q S O A I
M Q X H N N N H K A O U D T I B V S J Z
M P S E X E L S E S R S K D N W V U Z P
O Q Q M L S A U O S W A O W O U F O O X
U J Y O O D K P R Z I F C M D I G T L Y
C O O C I O S S V N P O T H C M C E E D
W C A D Y I T M V I O S O N Y M A B A
M F L T D V Y N S M Q H O L N O T B N E
T H H A C R O K O U M P O U N O C G L R
G N O S O C O M E K X K Z F G K M X U O
```

ACRO	COULRO	GLOBO	NOSOCOME
AERO	DIDASKALEINO	HEMO	NYCTO
ARACHNO	DISPOSO	KOUMPOUNO	OPHIDIO
CARCINO	ENOCHLO	METATHESIO	POGONO
CHRONO	GERASCO	MYSO	THALASSO

THE OCEAN BLUE

```
O F V G S N I L J C H O K T I D E S O M
C X S C C Z I S E A H O R S E S L S Y D
R J C L B A F I S H H X F Q S H O R E T
B K I R B O A R D W A L K W O S B C X W
M H S H A R K N D W A V E S S W S O W L
C W Z C C V M I E W C R A B E H T R Q D
P R J Y B W H U Q O D N R U A W E A H A
J F C E O C B C M M O E D J G H R L K L
C Q M C I X H R B J L T W B U H V E Y N
M S Z T H X I T F A P R T S L E R K K H
H G L T S A H R H B H D W D L U M R S E
J A F T O F I W K J I O Q M Y I J I P V
S T X L V D I R D F N C V H P H F A B Z
B R Y H K S L L S A S A M M K Y G X X D
X E I S T I N G R A Y K I F L H B C R I
G K A N O B M B X G R K L D W O O I Z
J Y M C U S F W E Y H E E N E K M A O P
Y P O Z M I L C M S J J A E N F T S N O
V L G N W J A O Q J R S D K J X G T Q L
X C C P U A Q E F K Q H A S Z O O N C V
```

BOARDWALK	DOLPHIN	SAND	SHRIMP
CHAIRS	FISH	SEAGULL	STINGRAY
COAST	JELLYFISH	SEAHORSE	TIDES
CORAL	LOBSTER	SHARK	WAVES
CRAB	SALT	SHORE	WHALE

IN THE JUNGLE

```
Y G F S O V A V D J G D Q R B G T F C X
C X B K Z L E O P A R D U O L Z K C R M
F Y B L K F N S L E P M J P E Y M N O G
H R O N Y Z O F N T E A U X E W A W C F
L E F S K A D S K L D C L K O T N H O E
C R E L E P H A N T I G N D U P T J D U
I B W U W S B D T E Y O U G J Q T P I Q
L I B E C G I J V O M P N C X A G Z L P
B T M K O A I J F P U A X B R N G R E U
Y C C K J C P T H P R C F P D J R U Q O
Q Q S G G Q E Y E O X E A B V R V B A V
Q P L X S O W L B Y C D A N G T J E C R
Y Q Y S N N G D O A I Z Q G P T C Q S R
G T D L A M F H B T R V B L L N O B M W
D J E O K D R Z M Z J A P N T E U U A T
M I G T E E N G P F R O G B C B G C H G
D Z V H G P Q D H M O W Y K I M A C D V
Z W W I C H I M P A N Z E E I M R E U H
D Q T N V K K A M I L Y B A B O O N J Z
W Y Z D R G O R I L L A A V O W Q N X U
```

BABOON	EAGLE	LEMUR	ORANGUTAN
CAPYBARA	ELEPHANT	LEOPARD	SLOTH
CHIMPANZEE	FROG	MACAW	SNAKE
COUGAR	GORILLA	MONKEY	TIGER
CROCODILE	JAGUAR	OCELOT	TOUCAN

PASTIME ACTIVITIES

```
B I N G O K G V C V C R O S S W O R D S
O L U A W S R K Y J T N X P B H U R N V
C D M D B K B W O R D S E A R C H G M U
Y Z W C S U K O U P U Z Z L E S V D K H
C O L O R I N G Y G C J O K Q S X O E O
H L L H B N K A G V M R V F P P D G T R
H J H O D O M I N O S H I F S U O E M B
L O D B M B M W K G O C A B S Q U H T R
T I R K S Q A T W W L D R E B Q C S E B
Y R U S V H I J L U I T C H O A Y A N R
S M B T E N U X O W T Q N R V O G S N I
K S W L X S X F T N A L C J P G A E I D
F N M A V B H C F I I D T H W V V S S G
L S A X C A U O O L R B G J E D I C E E
C I R N P C G L E H E Q E C K M A R Z Q
F B B Q A C W C B S E B T L D R R A G S
V T L O Z A H G L B G V O U J I O B X Y
J W E H R R K E B O C C E A J A I B S I
N U S N S A M H S J T B T T R M M L U G
D A A G B T U C Y S C B X M J D Y E F E
```

BACCARAT	COLORING	DOMINOS	SHUFFLEBOARD
BINGO	CRIBBAGE	HORSESHOES	SOLITAIRE
BOCCE	CROQUET	MARBLES	SUDOKU
BRIDGE	CROSSWORDS	PUZZLES	TENNIS
CHESS	DICE	SCRABBLE	WORD SEARCH

COMPOSERS

```
U L K L J A I C A R A E C M I D V G X U
Q H K A S D W R E J Q Q Q E O O N S Z X
O L Y G L L Y N V U S I V T N Z Y M O K
X V V A K J G N R Z T N K I V A A P D T
H U V D O A I R R O Y C N D Y E T R D J
M I O L W P H O F B Z A C Y W P R X T N
V N V B O C U S N F M K K H I M F D F U
D B H H E M C A W H B S M O L Q C N I P
E Z C I F L M F C U V G W X L C B H A F
B Z E F D E T A G O Y O S C I K G S X M
U A R B S F R R K G T E S T A S B H P N
S L J I M R A I A M Y Z N K M Q C R E T
S L W A D G A L V M H Y V N S A E V U Y
Y E K L L H Y Z T T I Y M F B M O C V J
X G R E C J I B Q W K R P W M H W M B K
S R K T R C B E I N A U D I T P M V Q W
L I J B D I B W U N S C Z E K W X C Y H
E J E N K I N S M Q N M E L X E W Q C C
C J L M T U U P A Y J B F K K Y N J B U
M W B I N G E N F V V H H A N D E L O I
```

ALLEGRI	CHOPIN	JENKINS	VIVALDI
BACH	DEBUSSY	MOZART	WAGNER
BEETHOVEN	EINAUDI	RACHMANINOV	WILLIAMS
BELTRAMI	ELGAR	TCHAIKOVSKY	WISEMAN
BINGEN	HANDEL	VERDI	ZIMMER

20TH CENTURY AUTHORS

```
E Z F I T Z G E R A L D H J H W O O L F
L R W Q H F M B I K R F Q S J I X X I V
L M K G O R W E L L V T P C X Y F N B H
I D G L K Q I M B N H H U G W T A E A G
S P K H E G U R U V E C W R Y F U C O I
O J I A J O E H R D U O E E N V L I V V
N S C E F C P I G N H N L E E L K S U T
S U C B Y K K U E M Q R L N J O N A X M
H Z L W Y H A I S D R A S E N Q E E A Q
H A U D D S Q B S X V D W Z H R R B B G
Y E R B R O T H J H X C X A O D S S B S
R E M C V E P F N R J Q F U U T D A A T
O I X M J M P L O R O S X Q A G C L L E
C C Y B I D Q N A R E V P C V B H I D I
H L O V G N R X X T S O G D H V R N W N
N K I V A Y G H H R H T J G O I I G I B
F Y O U L P Y W D M P W E I S J S E N E
U Y K F H B P V A K X U S R U O T R W C
X J V J R E V E I Y M W M V Q B I D F K
C N D X Y O I S H U X L E Y A H E R Q V
```

BALDWIN	FAULKNER	HUXLEY	SALINGER
BURGESS	FITZGERALD	KAFKA	STEINBECK
CHRISTIE	FORSTER	ORWELL	WAUGH
CONRAD	GREENE	PLATH	WELLS
ELLISON	HEMMINGWAY	ROTH	WOOLF

AMERICAN CIVIL WAR

```
R G P D K D J L U A Y H R O V J B Y X R
C R E Z X U Q Y Q S S N E J A K S I S K
I X Z Y U N O S D S B A C V L Y Q J E F
X C U T C I H K Y A S Y O S V V O B G X
D M P B A O B W I S O A N L P A T G Q W
L B H U R N F W D S U N S R K T K J S F
P L N I P E B V K I T K T S Z B G V A K
R O T O E E Z Q S N H E R C G Y T G L A
X C D R T W K J S A I E U A N R K H I R
W K K C B Q W X D T A A C L W V S N N T
P A O Y A T O L Z I N K T A P I D O C I
P D C J G U U H W O L W I W I F R R O L
L E G T G L I W A N E E O A H N O T L L
B Y W V E V D C O P E D N G U M O H N E
R N O U R B A Y O N E T S G R A N T F R
I F K Y C O M M U N I C A T I O N D K Y
M I L I T I A A B O L I T I O N I S T J
Z U T F I C O N F E D E R A C Y G T X M
V O U V L I R I K F A R O M V K Q T Y U
O B L P L A N T A T I O N L D A V I S H
```

ABOLITIONIST	CONFEDERACY	PLANTATION
ARTILLERY	DAVIS	RECONSTRUCTION
ASSASSINATION	GRANT	SCALAWAG
BAYONET	LEE	SOUTH
BLOCKADE	LINCOLN	UNION
CARPETBAGGER	MILITIA	YANKEE
COMMUNICATION	NORTH	

ONE SMALL STEP FOR MAN

```
F O O T P R I N T S W U L A N D I N G X
A A C F K M B C S P A C E R A C E X N N
X J E O J M T N R A L D R I N T K J I D
I F Y H D Q F B J H H O Y Q P A J Q X Q
N Z H U E P M O S U M O O N W A L K U Y
O X I C A E R O S P A C E U M C T H P Q
Q P E Y J A S T R O N A U T S Q D E Q W
L U N A R M O D U L E A P O L L O Z O H
R D F Z L F A I N W A D U E Z P A T A S
Z O H V T U Q U D I M W L P J S D D R L
A Y Q Z I B C Q O J E B A T A H G G M L
U C L K A L W V O N R O N N C I I R S T
R O V E R I G M G G I I H K O S A Z T F
O L I I A I F T B R C I N E M T N H R U
V E F B N Q Q N W A A R Y N M O T X O L
S P A C E C R A F T N S T N A R L X N G
Z G L D W X R L C K F G T E N Y E C G Y
U B H G C S Q G Q P L P M D D K A W L Y
A F I R S T U S N B A G U Y E I P U T X
K D O P R W I N Y V G D O N R V J S N B
```

AEROSPACE	ASTRONAUTS	HISTORY	MOONWALK
ALDRIN	COMMANDER	JULY	NASA
AMERICAN FLAG	FIRST	KENNEDY	ROVER
APOLLO	FOOTPRINTS	LANDING	SPACE RACE
ARMSTRONG	GIANT LEAP	LUNAR MODULE	SPACECRAFT

PLANES AND PILOTS Puzzle #84

```
P A T Y C X P J L Z U E S P I T F I R E
N A H F O U M Y G A L S A L D R E L I C
T Q U H L C B X H N S O F D D L Y J I R
B F N L U V Z Q O K N R N B T T M D M W
A L D I M G J O O G Q V S T D M K R F F
R R E T B R O C V O T I I X U Y T B T N
N G R T I F Z H E C A L D L N C J S H F
E C B L A D J L R H O L I Z M C R I E G
S O I E S R R D U O W E N Y S E Z J P O
G N R S F W Y X D C I W Z S G A O V I F
O C D T N R I U Z V L R X B Z R L Q N Q
W O E I E I S L B P B I R K N H J O K C
T R S N N G A I L Z U G Z U W A I G L O
L D O K O H L N A Y R H P M R R G F A L
T E G E L T L D C F W T P A P T H V D E
V T W R A F Y B K W R E Z M G G Z K Y M
I S I U G L B E B X I A D R N T N M A A
H N H N A Y O R I X G Y U I U E V Z S N
W I K Z Y E Z G R U H E Q V G C T H H F
V Y R I N R J H D Z T G W Y E A G E R P
```

BARNES	DOOLITTLE	LITTLE STINKER	THE PINK LADY
BLACKBIRD	EARHART	MY GAL SAL	THUNDERBIRD
COLEMAN	ENOLA GAY	ORVILLE WRIGHT	WILBUR WRIGHT
COLUMBIA	HOOVER	SALLY B	WRIGHT FLYER
CONCORDE	LINDBERGH	SPITFIRE	YEAGER

PARANORMAL & GHOST HUNTING

```
P P O R B E M G J Y J O Q Y A T E Q D M
M B F K V O T H E R W O R L D L Y M L T
B T H U N E A R T H L Y S N M O J F Z R
J O A D Y I U D W J M Y S T I C C V T G
V C R Y P T O Z O O L O G Y S P I R I T
O Y T Q D W T Q V C M Q A K Y T G S L Y
S H A U N T I N G L P Y T M A Q U H O S
E S J X L E L E M E N T A L T X Q A B M
G U S P O O K Y E I G P E Z X J U D N P
S P W M E R C C D E D Z F B L I X O N R
C E D T I N V I S I B L E C U A R W O S
A R A T R A N S C E N D E N T A L Y B A
R N R K A F D U G V V X U B U H V M R F
Y A K V Q Q S V I G N X U P Z M I B B R
M T H U P L T B G I H O E M F M E T E R
X U A I N U Q O Q A S O Q K I L G V W A
Z R S L S N I G H T V I S I O N N F Q H
Z A E M D F C D E M O N N T J P W X C A
T L B G Z X A T W C H S P B X P B S L I
X V V P O S S E S S I O N R X S N S S Z
```

CRYPTOZOOLOGY
DARK
DEMON
ELEMENTAL
EMF METER
GHOST
HAUNTING

INVISIBLE
MYSTIC
NIGHT VISION
ORB
OTHERWORLDLY
POSSESSION
SCARY

SHADOWY
SPIRIT
SPOOKY
SUPERNATURAL
TRANSCENDENTAL
UNEARTHLY

FABRIC

```
O K J S K U E P N W X F L A N N E L A Y
E B L F R B P O L Y E S T E R H P Z K C
K G Q A B P G Y U N K T H C Y B Q Z Z U
Z M G O F I R Q F C E C K B B F B J O S
K T C Y D R C L X V Q O H N H F A L T R
E U P N U S O T L B I Z C I I N C K U D
R R O N U O N E C I U B Z O F T T I L P
E B O H W I V F Y H Z J H Q T F S O L O
I B Y O T M K E Y L A I B U P T O Y E S
G G A A T W S G Z N O R L I O S O N C G
G R S A H R L X A G Z E M T F R O N S M
J N K E E S M C D E N Q A E U L H L G R
I L D J Z I N A N O V B S D U H E Q A I
K F P I N X L I K X L E R Z B S U E G I
R S A E S N G C R L U O P Q S I E F C R
T U D D Q B N A L T C J W W I C U H N E
V E P O P L I N X W F T P L L X U J N Y
B D J G M K M V P I O L T R K X V C C A
O E T T K I O A P L O H M E I O B N E T
B D Q D Z R S S R L I N E N Y A O Y R Z
```

CANVAS	DENIM	LINEN	SUEDE
CHARMEUSE	FLANNEL	POLYESTER	TULLE
CHIFFON	FLEECE	POPLIN	TWILL
CORDUROY	JERSEY	SATIN	VELVET
COTTON	KNITS	SILK	WOOL

THE GREAT OUTDOORS

```
D N G K E G J X V D W B C F L C W N Z H
E Z Y M W Y H T X P W Y A E O A M Y I F
Z M G V V I D K S H J I N B G N K W B A
V D S O N T C O X T Z P T S R A S E E L
P E N R O Y T A G C H G E P P T V W G S
Y T B Y R I I D M W W R E W Z U C K M
I N D T U H N D M P J Q N K F R L A G C
X M G Q W I M C R R I U K W L E C N Z A
Q P S A W T G M D L T N B I C H B O S N
F O L R X I J V I E U R G S E L U E F I
M H R V M R V T S Y O Q L T H E G I A M
K F W F F L N N K Q F G L A U A S N Z A
J A J T C E U Z M V L I F R N V J G C L
M I S Y T S G Q E J M S R S T E D H P S
L S Z T V D D A B W R F E E I S G J V R
C K U R R M I Q S X M W Q M N T R E E S
P O Q E E E M R E G V P U G N S W M I
U Z V A R Z A A G Y R I F I S H I N G H
D I Q F L S O M B E N F J L G B T C S Z
R G K L U L J R L Q E J U R J S K Y D Q
```

ANIMALS	FIRE	MOSQUITOS	STREAM
BUGS	FISHING	NATURE	SUNSET
CAMPING	HUNTING	RIVER	TENT
CANOEING	LAKE	SKY	TREES
CANTEEN	LEAVES	STARS	WIND

ON THE JOB

```
K M X N T W Q T A Q Z P P P Z S V V M Q A
V T C K T U P O O Y G V A H R J K E N G
O Y W L M B K B Z L O G I Y D V Z Y D F
O S R A J O B E C C Z V J U C V P B R E
O O J O P N A N N D O W V G Q H T J Z S
D B L P J S X N O T M W Y W B G E U U J
G S U P H O N E C M E E O J E O V C V W
R T U E Q U E C O E U M N R S B S I K A
V Q A N K C C H Z R J T P T K P E S U W
X I O S W W A G N R G U C L R E A Q E O
X M P B Z G N F E E Q A O M O L R P I R
F F L F C I G T F A R H N Y M Y K S E L
U Z W V P R U T S T E M A I L S M C V R
B Z S Y E P T L N M U V E U Z L B E Y J
X G T E M Z L O M D E S K Z W I T W N B
L N R O E A C B J O D P P E Y F N H W T
F A C C C K J Z C O N P B Y E G O G K K
C X P M A C Z X F Y Y E M P L O Y E E O
U L I G G T V J L X P V Y K H P C P L B
J M W A W O R K L U N C H I U G L I N O
```

BOSS	COWORKERS	JOB	PAYCHECK
CALLS	DESK	LUNCH	PENS
CAREER	EMAILS	MONEY	PHONE
COMPUTER	EMPLOYEE	ORGANIZING	TYPING
CONTRACTS	EMPLOYMENT	PAPER	WORK

FIRST DAY OF SCHOOL

```
A N S N T Y G I A K Y X Z T I S S U E S
S L I B R A R Y U C O L U C E H T C J C
T H B E O Y G H E R U H X J T G L Q I R
R O R J P P D M C U T L K T E A C H E R
N M V U H S A X V A R W N K G Y J C R N
Q E R R J U K D M T C A F E T E R I A T
O W G W J P I C L A S S P E T Q Z T D U
T O C F T P B U O E E L Q H P Y Q K T D
L R P V W L H A S S I G N M E N T S B M
B K D D W I N K C B B S Y K R X L K H X
E B Q Z V E Y N I C S G B A S K Y D X D
B G Z U W S Z U E T E U I E C F P H Q K
A J U C E I X L N M Y Z D A F Y S W Q Y
U H I L K I U P C T R A O H C S R R G S
L M F S J K R G E T R P D V A G Y K U N
U J E X A X U C N G B Y O L Q W G B A A
M D K M Q Z B T G K F O C M N S A K V C
C Q L I L E A R N I N G O A B L K N D K
G T F R I E N D S V Y N I K U V C I R D
R L U N C H J S R E C E S S S R C C F G
```

ASSIGNMENTS	DESK	LEARNING	SCIENCE
BOOKS	FRIENDS	LIBRARY	SNACK
CAFETERIA	GRADES	LUNCH	SUPPLIES
CLASS	GYM	MATH	TEACHER
CLASS PET	HOMEWORK	RECESS	TISSUES

BIGGEST CITIES IN THE WORLD

```
U D D I J V P Z R H K S A O P A O L O J
L C R M P C A L C U T T A C V E T V T Y
S T I O Q M B U G P T K G V F C X A O T
C I F O D C J A Q G B B X D W G S S K N
Z G X L A G O S O T H E C Z F W B Y Y E
U T L C N T A H T F L J J X N Q P L O W
W S F I J H E M E X I C O C I T Y Z I Y
B E I J I N G V D S K Z I X Q V R U L O
X R I O D E J A N E I R O O T D H Z O R
N K K U C H D Y X H U F A O S A K A D K
S E S C P A R I S Q Y P V H Q Z B V F N
K V S H A N G H A I L O S A N G E L E S
O T L E F U I S T A N B U L I M N V S G
V E B Q K A R A C H I L W E D J Z X M S
E V L U K D B U E N O S A I R E S D U O
L O N D O N E O N K F S P T P M L B M S
O D J R G E U L E P Z V X R B D Y U B E
G M A N I L A T H C U X C J O B I E A A
G U M S G Z J Q S I I O D J M Q B T I P
L Y G W L K Y L K Q R O V U S E O U L B
```

BEIJING	KARACHI	MEXICO CITY	RIO DE JANEIRO
BUENOS AIRES	LAGOS	MUMBAI	SAO PAOLO
CALCUTTA	LONDON	NEW YORK	SEOUL
DELHI	LOS ANGELES	OSAKA	SHANGHAI
ISTANBUL	MANILA	PARIS	TOKYO

SUMMERTIME FUN

```
G N G Y L L B Y K S W E X M X T Y O L V
K B S B L L R Y K W C A M P I N G R H S
G E W M H F M W W A R M Y L F V Q O P U
S I L W O E R P M V U S B W K J A U A M
V Q O Z W R P G R H B G I C E C R E A M
A U C O X S E S H M C I H I K I N G H E
C P E N S J W S L H L I K B E A C H J R
A C A Q X U U G Z O L D N I V U E V G S
T V N S N A N V S O M V Q V N U U B X U
I I G H H X R S A C B S E O A G C W T N
O V E R X G H H C P J P P T Y I W G V S
N M T G R O L L E R C O A S T E R W E H
I B A T S B W P R Q E L N Z Q R N W J I
D O W A W A O Q C M R E Z I W O I V M N
A N A N I H P A C W F F N N U A Z N L E
P F Y G M O X K T H E I L W N D R W P T
Q I V U M U U B Q I K X U A D T S I P P
O R R Z I Q W T U I N W A B I R K E F A
A E C Q N Q L K B G G G B Y N I U F V M
E B A G G U Y M T D Y Q I V B P L O S U
```

BEACH	CAMPING	ROAD TRIP	SWIMMING
BIKING	GETAWAY	ROLLERCOASTER	S'MORES
BIKINI	HIKING	SUMMER	TAN
BOATING	ICE CREAM	SUNSCREEN	VACATION
BONFIRE	OCEAN	SUNSHINE	WARM

SPORTS

```
B O X I N G M V V R U G B Y K G V K R G
S U B A I A G Q T I G T N O A O V Y J L
B D H K G V P S O J F E L P S N O F M R
A R H R Q Z X B B O O S K Y N J L E J O
S H A K V T Y Z S B O O Q F B J D S Q W
K X S O O K T Q S F T F E L C X E T P I
E K F S N L O E G X B T X C Y G Y T V N
T Z Y J W E V N A I A B S V C X B D U G
B J V F D I I V A L L A V V L X A Y O P
A F Q I S L M J M I L L B W I A L K S K
L X X T T K A M Y I C L S G N R L S G S
L G B S T K J T I R H Z Z I G E O B Y I
H X E J G I Q H Z N X N G Y S R G W M T
M R Q O O Q D V L Y P G Q X S C K R G N E
W B W B V O C C A H T Q O O C R T O A N
C X H O C K E Y Q G D R T A N F Z L S N
E B A S E B A L L M C O R F N I E F T I
O X S O C C E R Z A M T N B S Z S D I S
R D N B F R J Z L L L M D P M U U D C D
D O R C H E E R L E A D I N G L U V S E
```

BASEBALL	FOOTBALL	MOTOCROSS	SWIMMING
BASKETBALL	GOLF	ROWING	TENNIS
BOXING	GYMNASTICS	RUGBY	TRACK
CHEERLEADING	HOCKEY	SOCCER	VOLLEYBALL
CYCLING	LACROSSE	SOFTBALL	WRESTLING

COFFEE, COFFEE, COFFEE

```
G O S O U R W E J B R T U R K I S H F H
Z V U H F D D F C O R T A D O A H P D C
Q E I F T Q A O C W O F H D E E O H H O
R F F X S P M Z P N O O U W Y G E L J L
L Q B I C E R I N P T A E X N C N T D Đ
L D T M H P P K B A I U M U Z U B W W B
Q M Y E E S U J G S L O L E B P J M S R
R I A M C T Y O O A K Q B F R L N O S E
Q C M R D R F A O L U K N F V I M C X W
R M Y G O F K M A C C H I A T O C H M H
H G L E A C B I I I S Z V E X E F A E R
E H E I Z T C U K B M C P D E J O A N U
H Z L A T T E H W U C O R R E T T O V O
E S P R E S S O I E V W X T R X F T B X
Q H Z E E B T F N N N J N W N D S Q L P
A N G J Q M U U W E O S W B W W U A O I
A L R R K Q Y E W C A P P U C C I N O V
R I S T R E T T O K T V P A I I C E D O
X C E I Y H B L A C K Z P S F R A P P E
A E U C Q K C A R A J I L L O I H W X P
```

AFFOGATO
AMERICANO
BICERIN
BLACK
CAPPUCCINO

CARAJILLO
COLD BREW
CORRETTO
CORTADO
DOPPIO

ESPRESSO
FRAPPE
ICED
LATTE
LUNGO

MACCHIATO
MAROCCHINO
MOCHA
RISTRETTO
TURKISH

GOING TO THE GROCERY

```
W D I O K Z I L V Y H X J U I W G L Y Q
R O Z W N R M F X Q B J U E Z E M Y E F
V Z A Z T I M X W P L U Q E R B F D U C
K U I P H C F N G L G A T E V C R I X M
S Z W Y H E E A B Q Q X T T S P L E S G
N J R G B I T F O R G I V N E I G N A H
F E J W K O A O S F U H O G E R A O R D
C R I S O L L W C R R I E C T U R P S Y
A L Z X G A W M F G N A C G G S L T L O
P I A S E L U L A O A G H L G P I M T G
B S O R Z O I N H T D I E U K S C B G U
J T E C F V Z X S K J J E N K X D N G R
M C D F I G A A W U P J S M B U M C C T
O E A B Q Z P P W T W O E O J V S H C C
R J X I C A J R S T R O U S I V U M B G
A B Y R J A Z W P E P P E R A Q G Q U R
S L V M I L K R L M R Y Q M N D A V G U
D V E G E T A B L E S Y S E J J R N G X
D Y J I U H W K W C Y U M A I F W E Y E
I U Y K Q W P G T S A L T T S F V D V G
```

BREAD	EGGS	MEAT	RICE
BUGGY	FISH	MILK	SALT
BUTTER	FRUIT	ONIONS	SUGAR
CEREAL	GARLIC	PASTA	VEGETABLES
CHEESE	LIST	PEPPER	YOGURT

THE GREAT BEYOND

```
O W G P L A N E T S S E O B V R F X S U
J P H R A S M E R C U R Y C E D N D P X
X E K Z I L K A P N K D J V A J E H U R
S Z G D A R K N E S S P N A J R P T Q K
T J B P L B R R C X K Y C U D T W X D
A S E L R G C I S H X Z G U P G U R T C
R L X M U P H H F G C N K U I F N I V B
S S O D N S Y Y F G I D S M T N E Y E H
H W T N E D G M T T Z R D I E C A P N R
A D M C B X J W A F A N M Y R K A Z U Z
B Z A U F F I O J E P S Q T R S S Q S Q
V P B P Y G L T Y A F A X O U A T F L L
S G B D D F T T E S E T Y J J T R W R A
K X M R P K H R A E U U X L R E O U F Y
U C P D N G R A R M M R T K P L N R X L
C I P O I M V M T I Q N X A Y L A A M N
V X O L I C I Q H U W V A W G I U N S S
P M S P A C E Q A Q C F Y N C T T U C F
W E K V Y M A R S P Y W G R X E A S Z H
H Q V S U N V Q O U Z A C X X W I S O E
```

ASTRONAUT
DARKNESS
EARTH
FLOATING
JUPITER

LIGHTYEARS
MARS
MERCURY
MOON
NEPTUNE

PLANETS
SATELLITE
SATURN
SPACE
SPACESHIP

STARS
SUN
URANUS
VACUUM
VENUS

NATIONAL PARKS

```
N O K F X H X X U L Y P J W D J G M Y Y
R F B A R C H E S K R T E Q I Q R K W J
M J S A Z Z Y E L L O W S T O N E D E K
E L O X D Z O Y O S E M I T E W J X O I
M G O R M P B Y B R H C X S Y R P W E E
Z S Q F Y N U U R H Z R N A R W B P Y V
A C A D I A D S H E N A N D O A H N E E
M Y K Q U J O S H U A T R E E L O X F R
R O C K Y M O U N T A I N D S Y X G A G
K H R R E D W O O D U W Y E N N J X W L
T R D E N A L I K F F Y R A D S F Q O A
P X C M V L I D V T W E C T B E U X L D
G R A N D T E T O N I D E H A Q W S Y E
N B J H C T T H O C N G Y V G U G A M S
Z O Q J Y K I W A A P E I A P O I G P K
V K R Y F Z Q L R C L V U L F I Q U I F
R Z I O N J G G F D O U Z L G A W A C H
X M A M M O T H C A V E P E E T C R G M
C H D G M N Q P S Q C L E Y B I E O Y P
L O O P Y W E T B A D L A N D S O N V Z
```

ACADIA	GRAND CANYON	SAGUARO
ARCHES	GRAND TETON	SEQUOIA
BADLANDS	JOSHUA TREE	SHENANDOAH
DEATH VALLEY	MAMMOTH CAVE	YELLOWSTONE
DENALI	OLYMPIC	YOSEMITE
EVERGLADES	REDWOOD	ZION
GLACIER	ROCKY MOUNTAIN	

IT'S A GIRL!

```
A L I N D S A Y M Y B E I G G J Y W Y A
K J N I C Q U R L O I X M J V G C N Q N
M N X H A P U Z S L A P P U X D R J W D
Y G G V S J O I R N B H U X X Q Q A O D
J W Z O S F N A C H B A S H L E Y L C J
K H E H I J H P L N I M J J J M A O L P E
M V R I D A C T V T E M A H N T C I J R
G V N A Y W A N K N F A N J B X H E E Y
B R H G Z I C J S B O D N O R V A T M V
K P H D R S I L J O N D A L I C L H M G
R T Q A Z E H E M I Q I Y I T D L M A K
X C M J J M M M W N V E R V T E E E F S
B Z Y D C V C I A G D I A I A L T G N V
F U H T G E T D L Z K S C A N L U A N S
C V V I Y F V S A Y V O H T Y A M N Y W
R F U U S U P W C S M P E N O L I D P U
R K F V N N O D I Y U H L Y W R E F Y J
F S G H T C X I J W D I S Y X C I R Z P
N E U Q Q Y M H Y M C A C K L W S A H R
Q A V I R P J N Y P Y A R Z W R D X W I
```

IT'S A BOY!

```
I  M  B  X  P  A  A  R  T  Q  J  F  U  V  G  U  G  P  K  N
D  Y  X  M  Y  R  K  K  E  J  E  Y  V  X  Q  W  J  V  R  S
R  L  N  A  N  V  I  M  V  A  U  B  A  Z  R  P  E  L  I  N
M  E  L  T  C  W  I  H  R  C  F  R  L  B  U  D  V  N  A  P
L  S  C  T  J  C  K  E  Y  K  D  X  C  B  R  G  L  G  U  A
U  M  X  H  B  Q  O  N  X  S  M  T  I  Y  F  A  O  E  C  Z
K  M  P  E  J  R  T  R  V  O  E  R  O  M  I  L  D  D  C  U
E  H  T  W  H  D  A  Y  C  N  G  E  W  M  C  D  B  L  B  X
Z  D  J  N  C  B  V  N  L  Q  T  V  S  S  I  F  W  Z  E  Z
O  L  T  U  I  D  B  Q  D  F  V  O  L  V  D  S  I  G  Y  Y
S  L  C  C  X  G  C  Q  P  O  H  R  A  U  A  S  M  E  J  E
W  J  V  Y  A  Z  A  T  W  Q  N  D  E  L  P  E  I  H  L  Q
E  T  J  Z  K  M  M  D  Y  G  W  H  O  T  B  F  C  B  N  X
H  J  X  S  E  F  E  F  K  I  A  H  U  O  S  I  H  X  K  S
A  P  D  L  R  S  R  D  K  P  C  H  C  C  L  W  A  K  R  J
T  R  A  V  I  S  O  I  T  I  D  A  Y  N  P  O  E  Y  Z  P
Q  M  D  H  X  T  N  I  N  C  J  B  A  I  R  U  L  L  F  R
M  P  J  V  S  K  F  C  J  W  N  H  B  Q  J  L  A  E  O  P
V  D  K  Z  Z  O  R  Y  A  N  T  A  U  S  T  I  N  F  T  S
B  P  Z  B  V  O  L  D  Q  E  L  R  D  M  X  D  L  O  S  O
```

AUSTIN	ELI	KYLE	MYLES
BRADLEY	ETHAN	LOGAN	NICHOLAS
BRANDON	HENRY	LUKE	RYAN
CAMERON	JACKSON	MATTHEW	TRAVIS
DAVID	JACOB	MICHAEL	TREVOR

PRESIDENTS OF THE UNITED STATES

```
T J T M F C D E B I P V A A Y N G R M M
R Z A C N N W M E A C X W K T E S L L O
U W E K M W I D W V J L Q M Y I R I I N
M O A V C B K W M B E Y E X V S I S N R
A L R R K H H T C L F H A V M K E A C O
N F E R I U L B X N F I J D E Y I A O E
Z S N E N P P L O Y E N A K W L E I L J
O B F A L G G S U B R I C S O A A H N K
Z F J G E R L O D K S X K G B I L N U E
U S R A Y I O A J M O O S T G E U T D N
I K N N W P J O V H N N O S R R B U W N
S X Y J V J A T S X O B N U G U P G A E
F O T G Y G H P V E A O U T C B M O S D
U S K S P Y D L D Z V X V S I J G P H Y
W N G H R R D K P T K E C E H O E L I U
E I S E N H O W E R F B L L R H L D N T
R Y X J A C Q O C U L P H T T N O W G O
Q J M B L G L U I O B A M A L S J P T X
U C Z F O H O D G T M A D I S O N D O K
Q M C P N T Y R Y R V B I L F N N Z N C
```

BUSH	JEFFERSON	MCKINLEY	ROOSEVELT
CLEVELAND	JOHNSON	MONROE	TRUMAN
EISENHOWER	KENNEDY	NIXON	TRUMP
HOOVER	LINCOLN	OBAMA	WASHINGTON
JACKSON	MADISON	REAGAN	WILSON

COLLEGE

```
C P V M T Y U O G V Z G S V S O P M K W
V T N Z L P R O F E S S O R T Z E T M H
I L D Y G N H D V I X Z U S U Z N U E S
E P R Y K R M W C L A S S D D O L I M Q
J C W O T B C O C V S K Z A Y W R T O N
H P A W O P J W B B K Q C D I S Y I R K
Q W T F C M O B U G T Q K O N O B O I N
W V C S E N M L U K Z E F R G L A N E L
X G O D A T C A T K R S X M G V R U S J
U Q L A G I E V T R B U E A Y O B U E F
E K Z I E R L R E E E J K M M O N D D Q
Y D H K B D R F I V P A R Y E S Z K N D
L F U T T R P H P A E D Z Z L S K L D E
N E I C N R A Z X L C N E M A V T F N G
A O Z N A R B R X P Z S T Q A S D E X R
A W U R A T C E Y E K C T S A L J N R E
V I W R Q L I A S S I G N M E N T S C E
X O Z Z N X S O O H F W Z V W T I G C K
E I N O T E S G N S P O R T S Q L D J G
U L F R I E N D S N L L A K X Q I K Z J
```

ASSIGNMENTS	DORM	FRIENDS	ROOMMATE
CAFETERIA	EDUCATION	LIBRARY	SEMESTER
CLASS	EVENTS	MEMORIES	SPORTS
CLUBS	EXAMS	NOTES	STUDYING
DEGREE	FINALS	PROFESSOR	TUITION

COLOR YOUR WORLD

```
S J E B E I G E B L U E A R B W X M U K
L U O F P U R P L E C S A M P F S F U D
K W U U X K F A X V O J U M D I F C T U
V D M C D P B G G F H I L D D T E B Y A
Z J T H C X E R M T Q C P E H B F U O O
T I R S W C H R U J A R R Y O D E R F P
P T D I T A B N I S S X Z S D Q B G R C
O A C A X E L C G W V M Y L V M U B W
H V E J T W A J Z S I L A X F O A N J H
L M N O D F C L I P Z N M G Q S K D X I
Y F N Z N F K A E I G Z K P E A C Y E T
N P C Y C M F U W V O P N L L N P T O E
H S Z C A R R B N U L Z M H E U T X I M
M K Z F N Y Z U F K D X Y A A M Y A B F
J J B Y O U X Q U F P A W C R G C M Z O
C N L X N R H Z H M R P V D Y O R F T B
J D X P R K A O G J B G R A Y A O E Z E
D K L L T S N N D C Y E L L O W N N E S
O L I H J T R Y G X U P I N K G C T E N
C P B R O W N P Y E G A J J Y W H D V B
```

BEIGE	CYAN	MAGENTA	PURPLE
BLACK	FUCHSIA	MAROON	RED
BLUE	GOLD	ORANGE	TEAL
BROWN	GRAY	PERIWINKLE	WHITE
BURGUNDY	GREEN	PINK	YELLOW

PAGEANT READY

```
D R U D M S P B H G S T A G E U G Z T P
A G L C R O W D U G T I N E S K O Z I J
O E B B W L R S A Y L H L E U X I L J W
W M N H P H O T O S N T D R E S S D Q P
R Z C T J R J F M O I A M I H O A H U B
D Y B B B B G R P T R C I E G I S Q E H
S C T K N O W Z L E I I X L Q C H I E F
O L D V P Z L X Z S R F W E P P V B N Z
P Y P F M F H Y R W G F C R Z O F E H F
V J E E N W E E S A A I O J E I L I D X
H E E L S U W C R S T L A R H I N I E Y
H Q C F D O H D J C U U K T M V G Y S B
Z Q D U L Y F Q A G P I R T Q M V N M H
N F P F J B X R P K R R L R A Y O H R Z
Y Z X Y C H P J H F X P F Q R L T Y R S
H M Y L I P S T I C K F P Q U B E X B K
K N L R W I W V K D S M I L E L A N G V
U O I X G F R V P I Q U E S T I O N T L
P A W N R L N G Q H I E N R E Z N L B J
H G C R O W N J F R U H M C J M V T K Q
```

CROWD	HEELS	PRACTICE	SMILE
CROWN	LIPSTICK	QUEEN	STAGE
DRESS	NAIL POLISH	QUESTION	TALENT
FLOWERS	PERFORM	REIGN	TITLE
HAIR	PHOTOS	SASH	WALK

OH, BABY!

```
T I S K O X S Y G P U I P H P Z C B H N
J M B N A V G E N T L E D L C M G O T U
O X P U F Y V F N F T T T O C N U T W F
L K M R K X B H H U W V C G I R T T E I
A T I S Y R A H Y A M G E K W N T L W S
B G L E P X B T L A J F C C O L H E O A
Z H K R I B Y J K O F O H O S P I T A L
S R T Y C P C C V S R Y E L B I S A W B
E Y W K T X I M R T L U W T I O Z A M O
V K J Q U E K E T Y M U X Q Q G G D B D
Y S R U R E H E Z S I G G Z E P F Y L K
N W I W E S K H F T C N R L I A Q H M U
E A Y I S N G C N S T C G J D C R P P T
W D M C A L U A A V Z N R X E I A B C X
B D O L N L F G L U I Y F I Q F T V E G
O L B E F N D I A P E R S I B I T J R D
R E I X I Y A N E Z J E G K M E L O N I
N M L M Y T U E X L W M O N V R E P C L
F P E I I D L O O L V G T X A A G P X S
F F A G Z S G A D K F A M I L Y U G V P
```

BABY	DIAPERS	MILK	PICTURES
BLANKET	FAMILY	MOBILE	RATTLE
BOTTLE	GENTLE	NEWBORN	ROCKING
CRIB	HOSPITAL	NURSERY	SLEEPING
CRYING	INFANT	PACIFIER	SWADDLE

AT THE HOSPITAL

```
H Y O L S V J N P H Y S I C I A N Q W U
H A A S H P C S Z P M E D I C I N E F Q
O O F T Q P R N U R S E Z F R I D J N E
P J A R R A D I O L O G Y V H O P H Q M
V D W E V W R E X A M I N A T I O N C U
Z Z K A B Q G N W H B R M L Q H U U Q Y
F I H T O K H B N K E C S R L Q I T F O
L Y D M K C B O G J N A C F P R T A U W
X R X E U J I V U G Q N L H I Y U W F M
E Q B N X T N U V N O S T T F V K F A C
Y V B T C O S R K I A J V H H I V S C N
F X M E E B O T T H W T X A O U I L I X
A Y F G H T H I Q Y N K J Z A G N W L R
W N R B C G D R T E L H X U V F J Z I I
I U G O L N J C I Z Q T D W X B U A T K
S F D K O L I T O E R X R A Y V R B Y I
D Q C C U N A Z R O C P K L E J Y W E N
A I P Q I P O A Y O N E V D I S E A S E
S P D L C C C C H N A A R Q I P O E S R
B B C R Q O M T D B O P I Q T E S T S U
```

CARE	EXAMINATION	MEDICINE	SICK
CLINIC	FACILITY	NURSE	SURGEON
CONDITION	HEALTH	PATIENT	TESTS
DISEASE	INFECTION	PHYSICIAN	TREATMENT
DOCTOR	INJURY	RADIOLOGY	X-RAY

RIGHT ON TRACK

```
F G V V D J R L W S H Z M F D O M J M B
I R U Y K R M B S E C O N D S U O E R M
N O H N S T E X Q O C P S O R N R R U J
I U G V T M E M J Y O B R L T V H S N A
S Q J R C L C A W K A D C N K W B E N S
H J F W D M K N Z R C A O C Y X B Y I D
W A Z R P Q G K S A H J M L R M T Y N F
B W U L L Y B C P P J S P J P R E P G B
D H D U U Q H V E C N A E F F F N M R L
V B Y P B Q B U E D G X T P C L U R K O
W W A L F J R J D I P E I W Y A K L J C
S I B X X J E B E R E N T Q S N M H P K
K P T E X E C H T X V E I M G E C R R S
X N I R S K O N L D E W O M X S L A M X
W N V K C F R Q B T A R N S A T O C H F
B D S V E P D F N E D V C O U M I E K A
G R N Y K S S I S T A R T I I G G M A S
W F N N M X R F Y K F X R M S H C A E T
H M N F P P X O F W D S M Q B E O C A I
B X F G S X D G A H R E W I N N I N G H
```

BLOCKS
COACH
COMPETITION
EXERCISE
FAST

FINISH
GUN
HURDLE
JERSEY
LANES

RACE
RECORDS
RUNNING
SECONDS
SPEED

SPIKES
SPRINT
START
TIME
WINNING

ON THE COURT

```
S C O R E I A D F W G Z X W K G C E Z E
P F X W L K X W Q T J Q B I K I O R Y I
U N G Q H Q L C L G T D I N Y M A X M P
D L O G I I H Z W A H E F D B U C B Y G
B L O C K C S A C I V H A C A E H T V P
I G N H A L F T I M E O U P S D B D C T
C I Q I U G A C L F T O H U K Y A T B E
D M I H U C M R U E Q P F I E P C J G G
C H A R G E F N B K V W Q N T K K A C S
Y R T F E T E A M S M I O C B H B T E Z
E E N G V F K H Q O I B E T A N O J T N
S F P I U R G V B Q V H D R L W A T Y S
V E K S R S Q Z U Z G T I A L Q R I T H
Y R K P E Z Q R N O C N V X X H D M J O
I E B O Q L U P I F V F O U L F B E S O
U E H H Y F M Z F E N O Y J E Y U O Y T
W S Q P B U Y A O M X U O N Z L Z U M C
M L G E J D V Q R R J R C E H T Z T N I
Z T G A X W G Z M S R P U T A U E E Y F
J F T B A S K E T E W R W T Z I R R C H
```

BACKBOARD	CHARGE	JUMP	SHOOT
BASKET	COACH	NET	TEAM
BASKETBALL	FOUL	REFEREE	TIMEOUT
BLOCK	HALFTIME	SCORE	UNIFORM
BUZZER	HOOP	SHOES	WHISTLE

ON THE FIELD

```
R H T X R C E R X G L I C J N V E A L S
S Q Y Q Q P S L Y L D G C O H F J R O F
M L P A A U Y V A J S R I Y I S T L Y Y
N K O N Z C B B Q B I T Q A G W Q U I D
B S S I Z R T E T A P Z G R H G R A S S
N R Z L J O Q R Q E T T H D S W B P Y X
L H F G O Q O H C U W T O L C F K I B D
C L H F O X I R F L W W F I H R T B A Q
I P Y B C Q E M T W C A I N O I L N N X
F B L B L T D E Z N X Y E E O D F J D N
I C E M N U A M W D T B L B L A E Z I M
B H A I K I G O B W A J D L D Y K O C D
N E J I O W N R N H C X G O I I F R A N
D E U N O L T I P C K J O C B P O G T D
K R I W W I H E P U L F A K S P X E C F
J I M E K G R S M Z E U L P B L A M H U
O I V R S H O Q R F P Z N Y T C S D M M
K X T L T T W F L A G Z X D C Z U R S B
L V Q X Z S I Q B X B W L S K Y U R D L
Q B Y D T T T O U C H D O W N G Z P F E
```

BAND	FLAG	HIGH SCHOOL	SNAP
BLOCK	FOOTBALL	INTERCEPTION	TACKLE
CATCH	FRIDAY	LIGHTS	THROW
CHEER	FUMBLE	MEMORIES	TOUCHDOWN
FIELD GOAL	GRASS	PADS	YARD LINE

ON THE DIAMOND

```
N T B X C R T S W I N G T R H U Q V E E
S A N D W S Z Q Z M J F C A T C H E R D
H Z K N R V Z H N C S C B A A S F O G E
O V X I M Y K F C W E B X U G K E V D M
M B F K B F T J A Q U Q J N K L D I Y X
E R C F S B G W F B W Z I A B M L T S V
R A B W P A G D Q U A N W U E S O L T F
U C K F C Q N T A K N T O H U W U B R I
N F R I J O A D R I Y D U R W C Q Q I G
C C S I C V J V C Y B A S E S Z F M K U
G L W E K M T E Q R F B V A N G B O E K
R D S Y H N A B P Q L H Z T J W F Q U C
E C T W E U P A H X R E P X N S Y V Y L
C A R H J M Z S P X P I T C H E R D B F
N L E K D P R E U A F F Q C T F P B X D
E G Y N D I V B Q G D L J E R B G S M C
E X U X X R O A Q Y O L R A I X Q K X N
X O C Q M E X L T H I R D Q P O Y X K I
M I D U R Q I L M I Z L W D L G L E C R
C B P L A T E V K H B D Z B E V S J K D
```

BASEBALL	FIRST	PITCHER	STRIKE
BASES	FOUL	PLATE	SWING
BAT	HOMERUN	SAND	THIRD
CATCHER	INNINGS	SECOND	TRIPLE
DOUBLE	MOUND	SLIDE	UMPIRE

SOCCER MATCH

```
K I C K J L I A D S W H O Q G E L Z U K
K W T N A F I I B R C M P I V X S G M T
P E N A L T Y G Y T E J U J Z Z T K K C
K G E M T S N X P D C L U A H C R X D L
J B S P I O H Z L X I S J Q X E I Q E E
B I W A E D E I A O G E P O Z D K N F A
Q S E H E R F R N O V S O Z L N E Y E T
M M I J E I N I R G J E E T F R R B N S
Y K U D L D U S E C U L R L W D E I S C
C I W Y E F V E C L P A B T N K S V E S
J V U F K L H M G T D A R I I K B A A H
F C F G L Q I N N Z H N S D C M W W W O
S E O P K H S N Z H Q J P S V E E H R T
Z H J P N M B T E A M M A T E S L I N F
I O O C O R N E R V Q X D D Z T I S E I
J C G O A L I E U J T E C K G R O T T E
L C B R T S Z C R O Q L R R A M F L Y L
K J A A O O I D D U F A U F B Z N E G D
L W C E L H U K O D X K Z Z M Z F E G N
Z H Q N K L G T S F Q B X A M U K Z Q J
```

BALL	GOALIE	OVERTIME	SHOT
CLEATS	KEEPER	PASS	SIDELINE
CORNER	KICK	PENALTY	STRIKER
DEFENSE	MIDFIELD	SHINGUARD	TEAMMATES
FIELD	NET	SHOOTOUT	WHISTLE

FAMILY

```
C T G O D Z N H H O L I D A Y S Q Q W P
T H U I P L Y P I B L S Y N C K Q V B I
F R H J S H X I L W V Q S F M O T H E R
F Z U G R A N D P A F T B H Z K U H P M
Y L N Y O X D X Q Y E S J E R D V S P J
T U C T C D I Q X P K J C G A P L S I N
S B L L F D N I D P R E N H C W T O O N
M L E I X D N Y G T I I G Y O H B A B Y
Q M L Y F B E A O N R O W Z F O H B C N
E S F I G B R W E E V Q N P B R V G H N
J A L A Y X P T H C F A T H E R Q A I P
C Y H N J Q Y T X W P X W P K F C Z L I
R F F O H U A A R U T A B T A G O R D C
M C J R U G L W D U M I J W V D O E R N
H T D W M S E R K D L B O A E F K U E I
Y X B W P H E R N E B N O B U F O N N C
R X F N P O H A O K E V L T K N U I F W
R S R E P C R J A O Q Y A R D G T O O V
K X N D M G B B K G U T N T J J H N E N
A E T S B D D M T I N B N O E B Y B K J
```

AUNT
BABY
CHILDREN
COOKOUT
COUSIN
DINNER
FATHER
GATHERING
GRANDMA
GRANDPA
HOLIDAYS
HOUSE
MOTHER
NEPHEW
NIECE
PETS
PICNIC
REUNION
UNCLE
YARD

MUSIC FESTIVAL

```
E X Z P I C I T L G A D D Q Y L U J S I
N Q H I B J N G I Q F F H N F H O R S Y
L U F T K N B M O C S A T J D L Z U V P
D X S G H M X W W N K I S J N C I G D L
Y E D F W Z Q K Z O U E N T J P Y O E X
V Q W O Z Q T G N W A A T G A C C G G T
O C I T E U N T V I O O I M E G U F T R
D X U B H I F R T H Z Y P U U R E R T Q
V A I I K H L W C R E W I S F Z S I B M
T A N R P T K V R U G B C I E T S E W T
Z G A C P D O F H P L K T C L C T N R N
E P U H E K W H M L Q B U I Q R A D B R
I S E C U R I T Y B M D R A B C D S G O
K L D H O R T L R O N U E N I Z I R M C
C M R J O H H U G A J X S S S X B U P N K
W N X C I U O X B E D F W I D M Z Z V
Z K L A N T T M J I V W A Q C Q Z U B L
F K F D P Z F E E B C O N C E R T H Q I
I U U M K C P M E R C H A N D I S E R L
Z T L I G H T S R I U D D W N I G H T R
```

BAND	LIGHTS	NIGHT	SINGERS
CONCERT	LOUD	PARKING	STADIUM
CREW	MERCHANDISE	PICTURES	STAGE
DANCE	MUSIC	ROCK	TICKET
FRIENDS	MUSICIANS	SECURITY	TOUR

COUNTRY ROADS

```
T P X D A W L O S C G D T B X B N L Q L
M K H Z S K D E D P D F K O T X Q M E G
X R A H R R N Z F T C C D F K X U N L O
C I T I E A L T S E U W R T L Z G C I S
C E Q M D R O E A R E T U F E N C E N Z
E A R U L K V A T N G D R K D A R B U W
H A E U V R M P C C I T A L M O N H H X
F Y O E A I Y Q B H P M L T T L E K B A
G D L H K S P H U U O Y A C R F E S Z D
J L E U L Y O R S Y Z R A L M X A T U D
J Q E Q U I P M E N T R E Y S U D A V P
G E M S J J Y L A X T D O S C A E R O B
M A C Z H Q L U B B E A N S E F H S N B
Y C D I R T U F K K T J R P F A R M M R
M O P C G O J C I E D J C R O P S F O A
O R N F B M A T K E V M X A F U S G O X
A N I E U L H R H V L G B V A I Y S N V
S D V N C N A O R F D Z F A Y M C G E
O F L G W M I V M G W N L K X R I X M S
W S U N S E T W G C A E Q P L D J X M L
```

ANIMALS	DIRT	FENCE	RURAL
BEANS	EQUIPMENT	FIELD	STARS
CHORES	FARM	HARVEST	SUNSET
CORN	FARMER	MARKET	TRACTOR
CROPS	FEED	MOON	TRUCK

CITY LIMITS

```
U B U S Y C F C O M J W E X X S Q P A I
C W U U P O K W Q I G R E H T F S H Z M
S Z L T P N Q F M Y E L U N V T B S C I
B Z G I I S N P I J P Q E F N N U K Y T
K I S P I T I S G M P M G E V N S Y P V
W D K N B R I P O R T N M X H P I S A N
T G Y F V U R C J R I T X S C Y N C V L
J K L R Y C X Z A H N S A S B S E R E B
X U I P S T N P S I C I Y H U A S A M V
I O N H F I A U O L I E N X I Z S P E S
S V E V S O R P S G F Y R W L Q E E N S
B T Y M Y N P G V Q X E N E D C S R T H
O M O T R A F F I C T X Y C I R B S J O
T Y F R M I W Y L X S C V Y N S E Q D P
L B S Q E L B A G F H I N T G T S U D P
H O K U Q S U R B A N T I V S R D H Q I
I S F I H H E C T I C I U C Y E O Q T N
T A F H X R F H M T C N K Q S E H F Q G
B O S W M O D E R N Q G M Z Q T D M J P
Q B O F F I C E S I L W Z E B S K Q W T
```

APARTMENTS   COMPLEX   OFFICES   SKYSCRAPERS
APPOINTMENTS   CONSTRUCTION   PAVEMENT   STORES
BUILDINGS   EXCITING   RUSHING   STREETS
BUSINESSES   HECTIC   SHOPPING   TRAFFIC
BUSY   MODERN   SKYLINE   URBAN

AT THE NAIL SALON

```
K Z B L E V M I J P P E K U G M L W D G
G N D M W O C H A T T A B D M O H D Z Z
H J K Z T O E S G S O G E P K G V T M R
S W M Z T M A N B S P M Z Q A X C O B A
K P A P E S R R X P Q O Z D M I N O B Z
Z A N P L L I G H T U Z L L L D N D G B
N T I O E G Y V P L Y S L I Q R I T U A
A D C V V F J E D X Q U I X S O R E E I
I S U P I C C Y M E S M T P C H B D S D
L L R L S C T G W W S R A J V L U P G R
S G E W I D D M E L M I Q S K K M W A S
S A P P O I N T M E N T G R S T V A X S
C V W O N K G S Y K P R F N P A M P E R
V G M Y J Y R C Y I T M K S Z M G W O K
C E R E L A X I N G T E T G C Q K E J U
D R Y I N G V F H O Q T S M O R E T F P
P C O L O R S C X U V W J F Z G U Y Q R
P E D I C U R E G E I H F I L E N B D G
G U A B I I A C R Y L I C S J M S F B L
V J C V C B X Q V Y E J R A P A J S I E
```

ACRYLICS
APPOINTMENT
CHAT
COLORS
DESIGN

DRYING
FILE
LIGHT
MANICURE
MASSAGE

NAILS
PAINTED
PAMPER
PEDICURE
POLISH

RELAXING
SCRUB
SOAK
TELEVISION
TOES

AT THE HAIR SALON

```
N I Q B D F A D E F L Z B Q N Y Z D Q X
J X Q B O A B E A R D Y T A F Y V O P C
Y I V R H A I R S P R A Y R V O F I G V
E H Y O D B K R X X Y K G H I C H L W M
F P E J E M L R J M L S V N M Z S G F
C I A T Z J H X Y I G G F O Y X I N O C
G T R F B S B S S E S C G N Q X S K S O
K J B A H B W U A W C A L C O L O R S N
R C G C Z O Y N J D I N N I Q Z W I I D
K B N O R O G P K Z S L C D P O D W P I
Z F F B Y O R B A D S S H A M P O O R T
R O E G B S Y W N P O L Z U O A E D K I
U Y G U I C V J G C R O P Y D Q O R Z O
E C A D L D I V V W S L F N N F D S S N
L R E H L H D D K M S Q H K W P K D E E
H Y S Z E C H I G H L I G H T S I I B R
D A V D A N G B U Z Z Y P N K E L K E G
W K U T D G N C A P E F W A X I N G O E
O I N B B I B W S X U L D A L V Z J A V
D S W K M T L C U Y Z A O O G B Y H F D
```

BEARD	CONDITIONER	GOSSIP	SCISSORS
BUZZ	DRY	HAIRSPRAY	SHAMPOO
CAPE	DYED	HIGHLIGHTS	TRIM
CLIPPERS	EYEBROWS	OILS	WASH
COLOR	FADE	RAZOR	WAXING

CARD GAMES

```
L A S O L I T A I R E B Y E Q R K L R J
F O I P I M D D R M L B P W V N I P U L
O X B U P I K C Z L B K P O P G F G M P
Q R B H P I E A F F H R R A E C M U M A
B K B X G E M N U Q K O N L R Z D K Y T
L Q U N I P P A L Y C J J E O M C O R I
D R Z I R O S S J B R C K S E A D R V E
E X J O K L T T E L D O N E J R F Z W N
G Z E Z N D U A X I P O K K S O M N Y C
W S G C Q M L D G X O Z C T K O G E I E
F A Z E A A T M I P N A H C D I G N G R
R O Q W V I M U S X L G A E C U Q V H F
C I P A U D K A T B I J E C J S G C Y J
G U O H E U C H R E P P O Z E Z O I Q Z
F O Y K E P T U Y A S W T D I B F A C S
U C I K Z S T Z L G R D A C A D I Q H P
A V L I I N A S Q Q Z P W C I U S K E I
B X R H G R U J T C S Q M Y M W H O A D
Q Z W J C A N N E V R O U O O U A Z T E
G P Y I K O O S C U D U D H B N X R Y R
```

BLACKJACK	GO FISH	RUMMY	SPIDER
CANASTA	KEMPS	SLAPJACK	SPOONS
CHEAT	OLD MAID	SOLITAIRE	UNO
CRAZY EIGHTS	PATIENCE	SPADES	WAR
EUCHRE	POKER	SPEED	WHIST

MYTHICAL CREATURES

```
M P D Y I U H F Y Y F F T K I W R H Y G
E A N P E G A S U S X U B D L D I U N O
R D R Y M T B Y W C S E P T T P E M I D
M Z E S U K I O G R E B H U X H U T C Z
A M L E P R E C H A U N O R K H F I F I
I P U C F B R O R A C B E N K I A Z U L
D W B N P W G B T K Y B N K Y P J O B L
X B B I I S A B Z V C C I Q L P D M I A
Z F H I J C N I H P L H X A J O R B G G
O E L V A F O M O R O I D T X G A I F K
Y A D P O X O R A V P M K Q I R G E O Q
O O U L V R H P N N S E E H U I O Q O A
X H Y Y V K J M P A Z R E T E F N S T U
C P L V H X C G N U N A S R G F A P S B
W R J H C L E R N C C I Z O D S G H L Y
F F L Z I K I E G A I Z U L U J O I V U
P Y P W V R F M G W S I K L B L L N I P
F P B R U M A L C E N T A U R Z E X F V
B S U K H R A I D O F C B J Y E M P D U
J W J D Y O E N R V E E Y G N R U J X R
```

BIGFOOT	DRAGON	LEPRECHAUN	SPHINX
CENTAUR	GODZILLA	MERMAID	TROLL
CHIMERA	GOLEM	OGRE	UNICORN
CHUPACABRA	GREMLIN	PEGASUS	YETI
CYCLOPS	HIPPOGRIFF	PHOENIX	ZOMBIE

WEIGHTLIFTING

```
L B E N C H M B A T C U H C A E U O H P
X L S W J X J G M C C B J R G F M F K U
Z E Z T D N W R O Z L K M N J S J P V L
O Q Z V R U J J X C A M U U T S A H X L
Y T D R W E M V T F H L L S H R U G T U
C W I O Z L N B O I U E I B E F W W A P
E Y P Q S J C G B P A Q S I D N Z W M S
M U S C L E S A T E K B O T V J W E W M
S B H X G H Q M P H L D Q F N C Y I M S
K L A P P F U Z E Y X L L R W O P G B O
P E L R P H A O N P A B E P U I L H G V
J G N Z B D T M E O R S C B H A A T A W
G S H R U E J D A X S E N L K J T W R S
Q P J O J D L J E B D P S M E I E B M J
F N T W M E L L G A A F X S F A S M S E
K J I I X Q D W A X D C F D Y U N Q J W
A B M H M T O K V Z C L K X O U J Q X P
H O V D R R Y V O F A L I I Z F M C F M
T O Z W P Q S E L M Y X A F T U O V Z D
S E E X Q O K K C Y G M U N T I U B V L
```

ARMS	CLEAN	LUNGE	ROW
BACK	DEADLIFT	MUSCLE	SHRUG
BARBELL	DIPS	PLATE	SQUAT
BENCH	DUMBBELL	PRESS	STRENGTH
CHEST	LEGS	PULL UPS	WEIGHT

INSTRUMENTS

```
C V V I J K Q P E F N O F F C E N H Z C
W N K X M T D V I O L I N Y N M M J J K
C E L L O H N U I U D E H O N A X T K A
B T J W Q Y E D O E Q Z B B B F N Q O C V
N L C X I B R S T W T M Q A Q D F F O P
D C W E R O J U C T O W S S M O L K H W
K R O B C I L L R Q S M S A L Y J X M
L B U C B F N G T H A R M O N I C A V R
O B A M K H H H F V W S P O Q N K Z U L
N C W H S C L A R I N E T N C V C B K I
N B G Q W E X D H H F S C P R B U U J Y
S M B H K S T P A P J A A T Q P I A N O
P T G Q N U H C K Q B X D U F G H A X X
Z Y K R A M K P U Q A O P Z G U I T A R
T R U M P E T U L L S P E V B R T Y R O
H M R T U B A R L N S H T N Z S B U J O
T A I N M Q K Z D E Y O V J I Z P N P A
O O R E P P P V J I L N D F M K A P U F
X O I P N M C Y G N G E H T Q B B E S F
K O C B W U L Q T U G H N R J F K Q C I
```

ACCORDION	CLARINET	HARP	TROMBONE
BANJO	DRUM SET	MANDOLIN	TRUMPET
BASS	FLUTE	OBOE	TUBA
BASSOON	GUITAR	PIANO	UKULELE
CELLO	HARMONICA	SAXOPHONE	VIOLIN

PICTURE TIME!

```
H M P P F A M I L Y O L B S T A N X F G
D E F S F C S U G N F F P I X L T B O V
U M X M R R S M I L E J G H R B L D O K
I O R V A N I E M Y B I X D O U Q M O P
K R F V M B C R T S M F Z V M M G O P A
S I O J E C A C A P T U R E N N B E Y K
F E G T P G M T F L A S H L I P B S V I
G S I G R V E E Z U Y F W D A B Z X S L
O K Q H U O R U S H J V D R J O W D Z G
X Q B B E G A H P S D E C X H Z G Z D W
M Z K S S K S A W E W S Y R H L E O F B
R I K E P L R I B N D N W Y I O Z O J T
M R S S O G X M Z I M N I V Q B K H V R
L O Z O O N R N O O M Q O Y C I Z M M I
P D H T F N D R C R G W F D R S T D C P
C C O O Q X A O F B F E Q M F P V X H O
S H E W E L V U D E V E L O P O V L E D
P S T P O I I K P R I N T U W R M L E H
A Q J P U R X U V V G O P U I T N Z S R
I U B O W O R B X C I U R Y Q S X L E K
```

ALBUM	FAMILY	POLAROID	SENIOR
CAMERA	FLASH	POSE	SMILE
CAPTURE	FRAME	PRINT	SPORTS
CHEESE	MEMORIES	SCHOOL	TRIPOD
DEVELOP	PHOTOGRAPH	SCRAPBOOK	WEDDING

MEANS OF TRANSPORTATION

```
U V M F G Y Y O E L T V Q J F E W J G O
F X J W A A T L W N S Z N E W Q H K W C
T A X I W Z C N V C G S G D W I D E G A
E W R B H Y B Y L Z I N Z Q I R Y A I R
H T U I C K G I D F I P U E A R T I E W
A S Q I T Y A M C K R G Q O R Z Q L M Y
F K B K G R I M L W Q J B E J C C U Y T
T W C G O A Z A H T C E F R A Y J R R O
M O U N V Z W T Z E T W Y W C O K A U T
R B O J I E P D W A L C H R H H C X S Q
V M Z K H C X G K T C I O J K F W U D H
P L A N E D D S P D O T C R L X B Y C J
V S X G T U I H R B O T R O L L E Y L O
C X I O R M I A F M O C G P P X K M D Z
P E B K R Q O J U S N A J I X T V S B J
S D H A S B M G Q G A L T T E C E Q D X
I J A J G A T U U Z E G S Q R Q U R K W
O V L N O Y P K T R U C K H O A I W A O
W W O B H B L D U R U F F M O Z I Z B L
P L H R T R C D S C O O T E R I K N A M
```

BICYCLE	FERRY	MOTORCYCLE	TAXI
BOAT	GOLF CART	PLANE	TRAIN
BUGGY	HELICOPTER	SCOOTER	TROLLEY
BUS	LONGBOARD	SKATEBOARD	TRUCK
CAR	MONORAIL	SUBWAY	WALKING

SNACK TIME

```
S E B N D Z R E C V L W L Y I S P I X R
Q C R A C K E R S C L H G Q C H I P S Q
T R W J E P D M C P M T R A I L M I X U
R L F D B A N A N A C V C A S H E W S J
P R E T Z E L S V U S O A T D L C M A W
H W P O P C O R N T Z I Z Y A S O U A H
F H O I M J S X Y Z X W G V O O T X P Y
A O V W R U I A E B U Q H I X N T V P N
N Z N M M M L B B B K H L H C S M A R L R
A O D M K E Q S J N C C J R L L G Z E A
C S U C S P P U Y F A O W T Y A E G F I
H H A E F E M V G T K H O Z Q B C P K S
O N E F G A E H S P R G F K A M H X A I
S H Q K P N O I B Z A N J G I Z E N C N
C L F Y G U P F R I E V N J Z E E J Y S
P M G Y V T W A B G B I O G W J S R A R
A T B E K S E W N R D U P C C Z E F Z J
Z X J J K W N A K D M K C J A C N A R T
O N N N A I R I U M R Z C U Q D L A V A
B L L M R O D P J W I C G B P C O M F Z
```

APPLE
AVOCADO
BANANA
CASHEWS
CHEESE

CHIPS
COOKIES
COTTAGE CHEESE
CRACKERS
HUMMUS

NACHOS
ORANGE
PEANUTS
PISTACHIOS
POPCORN

PRETZELS
PUDDING
RAISINS
SNACK MIX
TRAIL MIX

AT THE THEATER

```
I Y Z F A J G G Y X G E G K O D A T E M
L W U K G M D R I N K D U Q K F W Q J U
D L S L W F I C T I O N Q B E D L R D S
K O P C R N S N O X S E A T S Q E P Z H
R I G F C M N D O Q N F G U T J F D H O
R Y Z E B G A C X P Q E L O R W Z S Z W
H A F G V B C R C V J E K I O N P W Q I
P N P X P Q K P B I O D E Q C Y A L I N
K I D M F L S K O T N F P G P K G T E G
G H X O L I P I H P R E W R G D C C E L
V O V V R C L J C A C W M I X L Z P S C
L F T I O W R M G I T O S A X X M G S A
C Q R E M U B I H M E D R Q M V K X K C
A F P X A C L C S J U G F N I D K Y H T
N J L N N W W R A C F S M B T I M E Q I
D G V R C G C Y I F R T I C O M E D Y O
Y Q R O E K S F T W B E B C U Z J N P N
N J A F A O Q G H I B T E F A B R D H V
R H Q A B D R I V E I N X N C L U Z B Y
P M U F O O T I C K E T S I U A U V N Y
```

ACTION	DRINK	MOVIE	SEATS
CANDY	DRIVE IN	MUSICAL	SHOWING
CINEMA	FICTION	POPCORN	SNACKS
COMEDY	FILM	ROMANCE	TICKETS
DATE	FLICK	SCREEN	TIME

HOLLYWOOD SET

```
Y I X E F H O B A C T R E S S Y O M V L
C R E W N A Y O U C A S T D N J G E U E
V G U V O K L R Y W M R A L R H N K G M
Q F P I W L P R O D U C E R M E B B Z I
B M Q E H X O N A Q L A M K C M V E K C
O U S U D H L M S I I A K S W M T K A R
M A X S A K D N E S N D A D R W C D L O
R G B M C B W S T P E V L N D T Y X I P
Z S L C T R S V M S S S S F W K Y Z G H
F F C A I M Y Q W C G Z M F K O S N H O
H E Z M O G V A Y R F H F U G U Z B T N
V C G E N H T Y U I G G I N N U M B S E
O M O R S T K R Y P C F L Y S D B S K S
Q O Q A S N F J V T G X M D V T E A M B
U V D I R E C T O R Q S I D N K U D N B
Q I Y T F Y D Z A D H H N J A C Q D V R
W E X K G Y Q W C G S O G T K N R I I O
X B S H C N F S T A R W C M J I J P X O
V O Y V W I C X O K U G Z F S V D N G F
M L D A X Q Y E R Z F V E Y Q F D M Q Q
```

ACTION	CREW	MICROPHONES	SET
ACTOR	DIRECTOR	MOVIE	SHOW
ACTRESS	FILMING	PRODUCER	STAR
CAMERA	LIGHTS	SCENE	STUDIO
CAST	LINES	SCRIPT	TAKES

RUNNING WITH WOLVES

```
T M H F Q P G H O W L I N G B T Q F J Q
E Y W N R X G G A Z U W M F W M M G W H
E A T O G Z A M B S A I X R R W L U F O
T K C K O E U I U R P L K I X J P Z O W
H Y L L M S S J A I Q W G G U L O M N Y
Z R A D R G H F A N G C N H X O R W K L
E X W U A Z U W W Z S M T T P V A Q D H
F I S X A N G P D H M D T E R Q L B P A
C U N Q D X N B B U C E I N E M S H O G
W C R C E J A T J N E N Q I Y D T X P D
Z O R G E H R S P T N S Q N J M A E K M
M T P D R B L D A I L K J G Z C L A Z S
G C O R D A L B C N C V H R X U K S V N
J G Z X K R S B K G P A V O B B I C Z O
B K I K X C X P R E D A T O R S N C G W
O O B M U T A T E U Y K M B L L G Y E U
W N D O D I L O O G X D P A W O H T X Q
G A L O R C A I M F D Z B E I B Q E G R
O I V N Y J I C C R F U G A O I X P I G
T U U J K E R F Y S O M R J D Z Y M X N
```

ARCTIC	FANG	HUNTING	PREDATOR
CLAWS	FRIGHTENING	LAIR	PREY
CUBS	FUR	MOON	SNOW
DEER	GNARL	PACK	STALKING
DENS	HOWLING	PAW	TEETH

A WORK OF ART

```
U M N I T U Q S J E L H D U N I Q U E U
Z Z X I D Z B E M C O L O R I N G X P P
P K J V G L P Q D M F N O I P S O B W P
W J F R E A B S T R A C T G N U Y Q Y E
Q N F Z Z M A Q C T C X V X C K H Y Y N
P H W N A X P H L B A R N G G U Q Y W C
W R O U C S A Q A X E I E Z F D O K U I
G A O J A S I N Y S S T S A E G Z Z E L
B P Q K N E N F V C T D T E T P K Y V S
M R T Q V H T R Z U H C K C Y I C E U B
T O U U A S B E D L E R U V T A V I T U
S N V D S Z R E M P T A H X K D Z E B R
P C T H M Y U H V T I Y W C D R W Y E S
J Z E C K D S A T U C O H Z R H U H R N
Q I A R D I H N P R M N D B A T J Q A H
H Q K Q C O N D P E O P Q R W H T G S X
D P H O T O G R A P H M F S I P V K E W
E Y F C M J A R T I S T I C N C F V R N
J H I L D E S I G N W Q A M G G J S S J
P Q Y C R C R B T A L E N T G U W Q T B
```

ABSTRACT	CLAY	DRAWING	PENCILS
AESTHETIC	COLORING	ERASER	PHOTOGRAPH
APRON	CRAYON	FREEHAND	SCULPTURE
ARTISTIC	CREATIVE	INK	TALENT
CANVAS	DESIGN	PAINTBRUSH	UNIQUE

HUMAN BIOLOGY

```
M C R I G E N E T I C S H X K W R F E Z
E L L P G E N O M E M E C O P N M R P T
M F N Q C S B O N E S U P O L W O A L U
B P B B J N V Q X J Z J I A Y I V L A H
R T H Q N D Y X T V M M M K S X U L S O
A V E N T R I C L E X E P L O C X E M M
N L O J N J X D T N T T G N S H P L A E
E N Z V E B B Q G S D H R W O E S E M O
G M B V W F Q P Y J N V I G M M I X I S
S U G A B U A S E N E R G Y E I M G Q T
C T F C Q Y R U W H T O O M P C E Y K A
N A Q C Y H W C N N D N F D A A T Y A S
M T U I L M X V H A O M U T T L A N R I
K I A N L A Q I T P M O E W H K B F Y S
O O F E O P S X Q J D O E K O Z O W O P
O N P H O R M O N E S I H N G Z L D T N
E P A U C J A N T I G E N T E X I W Y F
T C A T A L Y S T P O Z T P N E S Q P R
M F C D N R O C F G I I B P Z F M S E A
J S S J Z J T J M W Z N D Q C R R A G B
```

ALLELE	ENERGY	KARYOTYPE	PATHOGEN
ANTIGEN	GENETICS	LYSOSOME	PLASMA
BONES	GENOME	MEMBRANE	SYSTEM
CATALYST	HOMEOSTASIS	METABOLISM	VACCINE
CHEMICAL	HORMONES	MUTATION	VENTRICLE

MEDICINE CABINET 1

```
K C A L A M I N E B S W A B S B V H A R
A N T A C I D S N I C T M S Y W X E A H
D W K X O H K J G C R R O N A K H A N N
J D D S J X V R D O R A F L S U C T T A
B Q M C S C K A E T W E E Z E R S P I A
N M P V M X I A C D M E U B S I S A H H
E I M A F N B C O P A Q F E B G R C I W
W M J N O A Q E N E S E J N N K O K S I
N N H T Y L D T G Z P P Y A L D I Y T B
H H L I G O K A E P I C S D R P N Q A U
A L S F V E L M S M R J B R F S T R M P
Y C U U B Y A I T G I X P Y P C M U I R
I C K N P E Z N A I N T F L L U E O N O
I T F G H D L O N A K G A U Z E N M E F
I X T A W R R P T A B U W Q Q F T O V E
T R B L Z O T H E R M O M E T E R D E N
U X O S T P B E Q Q A C N R F V N Q S O
M O M E I S R N I O C E W Q Y F I U V D
S M T B A N D A G E S N N F B I O B A G
P H Y D R O C O R T I S O N E J M W M A
```

ACETAMINOPHEN	BENADRYL	IBUPROFEN
ALOE	CALAMINE	OINTMENT
ANTACIDS	DECONGESTANT	SWABS
ANTIFUNGALS	EYE DROPS	THERMOMETER
ANTIHISTAMINE	GAUZE	TUMS
ASPIRIN	HEAT PACK	TWEEZERS
BANDAGES	HYDROCORTISONE	

DECK OF CARDS

```
E Y Q I X S J T M X B H G W B T M L S E
G P A C S R O G Q J H Y V V Y Y W E Z T I
F S O N T I K B M X O S H V Y C R H O H
E Q A B T W E J W Q U E E N A T G E N E
V S B V H S R M R T A G H U Q I P B K A
I L U I M H I N J P N Z W B A Y T V W R
Q O B I P G Q T P I G Y R R A X C G A T
U W Y I T F S X L J C D T U I U L L E S
D R V Z D S Y F W P Z S T P U Q X D F K
K I L H C H F D E A L C Y H L H P K L T
V M A U S U U L F U L L H O U S E I U R
Z J B M H F L U V D P X U Z G K Z B S U
P B Y S O V A K Z M P A L I N Z S Q H M
H Q C K E N W C H P T B J A C K B P M P
L T L G A N D L E X D I S C A R D X R Q
T W U I I F Z S Y T F E D Q O A O N Q N
H Q B F K N G L U K R U Q E T C H U S F
X J S W N A R C B Y I U F T R I C K U N
K D O J E P N Q S B B N J P M S B C A I
I S A T G S P A D E S F G I X J R M F K
```

ACE	DISCARD	JACK	SPADES
CLUBS	FACE	JOKER	STRAIGHT
CUT	FLUSH	KING	SUITS
DEAL	FULL HOUSE	QUEEN	TRICK
DIAMONDS	HEARTS	SHUFFLING	TRUMP

TOOLS

```
M D P V R E W A Q D J W I J H J J S E W
M D G T M A M V C T U B S Q I W B J A O
Q B G N P Z V A C P P W H C K G C V D W
M W J Z R A K F M B I T P X R L X L O D
Z J I K J J R Y F U E V S E Q E B A G R
M O U L I R D Q W C K I C L U L W D G I
I D I P Y I R F Q N C F R J A G G D F L
K A R Z Y N H E L B U J E D L D F E H L
N E F B A D L A J V R T W H E K W R Z W
D A E D I E E L M N A V D U L A G C R M
T O R R V L E C R M K T R Y P X L J M S
O U F E N U Z Q P U E I I S D J O E N I
Q J L J G G P L A M M R V X P V V L L H
C T V C S L L D A R A Z E Q S G E Y D G
F I L E X W R E N C H L R Y W S P Y I
S H O V E L Z K F T J Z L M C B H L Z P
I I K B H G H I J I D O D E K O Y I A S
S W H E E L B A R R O W A Z T L Z E J M
B T D S C U L T I V A T O R M T B R H Z
M Y H T G Q Y N K C L A M P V Z X S E L
```

BOLT	GLOVES	NAIL	SCREW
CLAMP	HAMMER	NUT	SCREWDRIVER
CULTIVATOR	LADDER	PLIERS	SHOVEL
DRILL	LEVEL	RAKE	WHEELBARROW
FILE	MALLET	SAW	WRENCH

TIME OF DAY

```
E E R Q D Y V B G Y L D A S N E U M Z T
L E O Y X U X Y Z I Y Q H X K K N I E X
R Z F D B K L V K E H Y C C D L M N A X
R L D Z A N B L I X E E O A H D O U F L
V D R D K I P L E E P T A O J Y R T T M
V G H M H K D R H O U R G D A W N E E O
U U S U N R I S E D E X V T W F I S R O
V N H F T X G N B C L H E D T T N U N N
R A B N N C P O L U F V K C I U G U O F
N A Z Q I U X Z Q B V S Z M C R Q P O V
S S S D Z F V O B J U C G X K N I E N T
N B K W V U T M E D V Z E D S I N V R D
M D K U B E Q J Y J E M Z J U R R E J A
X M D A R K N E S S Q W W P N V Q N S Y
W G K J D B I L X I X I S C S O C I D L
B K U B E W P N P B H E O J E E Y N B I
T X E N Q K F P I H R L W U T V V G H G
X D P D F L Y P W G Q T I M E F I R A H
V X T S E C O N D F H N G P K W I N N T
H O P S H C L O C K W T B R L W O B D T
```

AFTERNOON	DUSK	MOON	SUNSET
CLOCK	EVENING	MORNING	TICK
DARKNESS	HAND	NIGHT	TIME
DAWN	HOUR	SECOND	TOCK
DAYLIGHT	MINUTE	SUNRISE	TURN

CAREER FAIR

```
D P R M M U S I C I A N K M O U N Z J H
A O O W Z Y L D Y X F P Q T L B Q F W A
N L V M L M R R C A R P E N T E R E V R
C I W A D Y H K P Q K N O D R M T N P C
E T O N S O C X Y O J Q A L C E E G L H
R I H A C C S O W N F L N F W C A I U I
P C A G I T B L D L W A O L C H C N M T
V I N E E O W G G R R W A Q B A H E B E
F A U R N Q R T O M I P A N U N E E E C
A N R D T F P L U G Y V A K A I R R R T
R C S O I L R G H T M M E I M C E G X Y
M H E C S Q X X B N S C Z R Y J Y Y S N
E Q R T T B Q I Z E L E C T R I C I A N
R F L O G F P O L Z H G E C H E F F D P
Y M O R C K Q A X Z W E Z X D K C X P H
Z P Q R G O S V U G X G O B O X G L V N
K C G C U Z F U Y R H C Q Q B U R B U B
X D M P H O T O G R A P H E R S X N V L
A C C O U N T A N T N Z S H S Y C P R T
B W Z A S A A H Z K J I H J K W B X O V
```

ACCOUNTANT   DOCTOR   MANAGER   PLUMBER
ARCHITECT   DRIVER   MECHANIC   POLITICIAN
CARPENTER   ELECTRICIAN   MUSICIAN   SALESMAN
CHEF   ENGINEER   NURSE   SCIENTIST
DANCER   FARMER   PHOTOGRAPHER   TEACHER

UNITS OF MEASUREMENT

```
C E N T I M E T E R T K V T W R Z Q K E
T O X Q G A L I T E R Z M J A D Y B S M
Y F U L P A R S E C A B M E J P G Z V V
E L E N Y F O O T A S Y B U T K R I S Z
C B G M C A W L Z I O L E P J E N P Z I
U H Y Y H E Z K Z E M Y Z G Z M R C C V
Q M I L L I L I T E R J N Q I R I Y K R
Y M L C E N T I L I T E R B S P Z P E K
V B M L R H S W D I Q U B F W Z L T X B
M Y A R D T E A S P O O N K E O E H Y Y
G M A B K V A N C K M N Q R Q M D E K Q
Y I R X G D I S F U O I C Q O T E C J H
J L E G H Q E A L O P A L L T A C T Q N
V L S Y H O I C P Y B R I E I E I A H Y
P I T S D H P S I G R K E L C G M R R Q
I M L C G Y E I L L L C T Y F V E E M U
F E H Z G L L R T H I Z N O P M T F P H
Z T I S B Y A I N C H T P I C F E K J E
D E Y A D J N R E J U G E E T J R L Q J
S R T R I T U B V J Y G W R M O B U M S
```

ACRE
CENTILITER
CENTIMETER
CUP
DECILITER

DECIMETER
FOOT
HECTARE
INCH
KILOMETER

LITER
METER
MILE
MILLILITER
MILLIMETER

OUNCE
PARSEC
TABLESPOON
TEASPOON
YARD

TYPING

```
Q A U N W Q U N D O J E R R B O M J O E
Y U V O K S N U X G Y Q E C Y Q V F F T
X S M B E G M F P G E I T F O Y D O U Y
X G C L W N B U M F E E U I L N G C C I
X D M M S A K I M E W P R N Y X T H Z Z
D B F N S R U L C T S G N D F E Z R K Q
N Y P T U Y E E A A K P X C O P Y Y O T
A G J K Q U G Z I B Y S A E M P I V U L
O S W F L K U Z T B D V R C G X I C U K
D W K K J U H U D N N U M B E R S J N J
W F I Q K E X V A F H T N F V E H J M V
Q P G C T M S M O P A Z Q T W N O M K V
K E O E Z V M S R A U N R C L T R L M C
Z H L A P O S H L S B L D D T E T E P Q
I E Z S C O Y I G T V E L H E R C T D Z
D B T M A L M F S E V V H H S G U T J W
U M R Z K U H T L A W U K A C M T E T H
N X V J G Y Q O S Y K P E S A V N R V I
L Y B A D S M M B Q X Y Y A P J P S L N
E R X N C A P S Z Z E L S H E U B B G Q
```

CAPS	DELETE	LETTERS	SHIFT
COMMAND	ENTER	NUMBERS	SHORTCUT
CONTROL	ESCAPE	PASTE	SPACE
COPY	FIND	RETURN	TAB
CUT	KEYS	SAVE	UNDO

NASHVILLE

```
T K R O L L I N J X K A F O P R Y H K E
Y C A F R H Z N M O W Q F T K W L O N H
X G Y M C I A T T R A C T I O N S T K Z
S Z R H R O B Y E I L H M R O B R C M D
E K U Y N V U X Q C E O L L X D U H U S
M N U B X U E N E L H C T K C I G I S O
T A T L L Y V R T X A A O O K I U C I U
D E P E D U B P Q R M U R P U E E K C T
I K N S R R E U M C Y Y D M W R N E K H
O G X N O T E G G E T M M I I H I N E E
F C U S E N A A R P M Z E W T N M S X R
E D J I S S G I M A R E X S F O G E T N
H O H J T I S W N S S C G C P E R R X S
O W L Z O A B E R M O S B E J V T I H P
E N V D E Z R B E I E Y A N T E V L U M
R T F Y T D D M I B T N H E C I T Y U M
S O L M N P Z W Q U Y E T R M J Y B F E
Q W W R M P D H S Y A J R Y X K L G W N
L N O R J V A N D E R B I L T A V X O X
L T Y L V F A A P H U A B H K A V Q H D
```

ALBUM	CITY	GUITAR	SONGWRITER
ATTRACTIONS	COUNTRY	HOT CHICKEN	SOUTHERN
AUDITORIUM	DOWNTOWN	MUSIC	TENNESSEE
BLUEGRASS	DREAMS	OPRY	TOURISTS
CHARMING	ENTERTAINMENT	SCENERY	VANDERBILT

FLOWERS, FLOWERS, FLOWERS

```
K I P N N A H M F O Z I U A D P N A K V
C M L K W N E N D F O M D M Z N O Q K Y
W M A V L J S T E M S L R A N E D T K Z
N P N J C V U W B E I U F Z M C F U Z C
A B T W W K P I I L T B R H S T G T H J
H N B N Q R E L T L O B K B H A K E Z F
S E J B U D F D V X J S L E C R G P J L
G V G B M R T H O R N S S O A J Q L H O
F O F X E A P R T U E U B O O P D T W R
L V P T L C P N O H S P D J M M S A T I
Z N T M F X A L M G A U O E F L E A F S
U U V U N R U J O E F G B L U E G H P T
B W Z F G F Z E Y L S C C J L R V J E Q
T R M A R I E T Y I P F F Q H I Q L T B
D G R O R A T Q J C R Q F V L C N F A W
R F L U N E Q S K N I G A R D E N A L G
B O W X R Q R W S V N J B A T R I D T U
C U W P C A Z C G H G L T V W S B B S E
T L I M T A X B P H Q Z W B R I G H T H
V V V B U S B X N G L E T G V G T G M K
```

BLOOM	COLORFUL	NECTAR	PRETTY
BLOSSOM	FLORIST	PETAL	SPRING
BRIGHT	FRAGRANT	PLANT	STEM
BUD	GARDEN	POLLINATE	THORNS
BUTTERFLIES	LEAF	POT	WILD

SEEAFOOD

```
H D F L H J B L G V C R A B S A V T I S
U L R E S S N Q I B J R J N R D V R U W
P I N F G M P R S E T T M P V Y O L O
S H R I M P P U O T A C C I F D C U S R
Q G G K A F U Z S I Z R L I L U N T G D
W J Y L L A N B P S C C D J G A L S C F
F Y T J C U O A Y K R H A I L W P Q X I
H X L S I L S H K F A L U T N B F I E S
E C J D N P J Y E D Y S I H F E M L A H
R P Q Q Y J E C U E F A Z W P I Q I C J
R Z J B J L E B M O I L C M A Z S T A Z
I S S K F U L B K J S M C A E B P H R G
N F B E S W A X D S H O B H J I T Y P S
G E F C E P Z R U D D N C I Y C T U N A
B F D K A B V P E X O H H M W U J P U S
A I U I M B O U Z L C I B A J K Y A Z C
S B Y Z V T D Z Y R U G U H N S Z I G O
S B E B C W O O E L O O A I E U G V P D
C B N O U C E P J H Q K J W O Y S T E R
F D A N C H O V Y R V Z J R Q G M L H M
```

ANCHOVY	CRABS	OCTOPUS	SHRIMP
BASS	CRAYFISH	OYSTER	SWORDFISH
CARP	HERRING	PERCH	TILAPIA
CATFISH	LOBSTER	SALMON	TROUT
COD	MAHI MAHI	SARDINE	TUNA

TERMS IN MUSIC

```
Q K W P S Q Z T C O D A D S F C N J Y G
C C Q D R X O A O F A A R M D N X G C N
G S C Q C R E S C E N D O E E C H O R D
X B T R M U A E W I M N Z L P F E X B H
B A Q X A H S J G U H G B X F E Z V F R
O S O X D J A S W Z Z E Q E U D A G I H
L S E F A N H N C V R X C X D R L T W Y
Y C A O G V B J D T N M L X A L C N S T
H Z C Y I M P L B A K A E S H A R P A H
R R C S O G X G B C N B F K M Q X L D M
M R E K P Q K U L Y E T O F E V F N Y L
W P N L K A C B W E K L E O A R Z Q N R
M E T Y M D X N D I B G Z R S G B T A K
J T W G A W D C G X D Z S T U T L E M P
O B T S O S Y M B W B G S E R M C M I E
K F E L G W Z P D T T H J O E P A P C E
Y H Q A V L Z D E C R E S C E N D O S G
A N D W T K H C K O D L K A P J A A V G
N Y I L K K I Q T W E Y L C O U N T Y X
S C L O N O P L A C I G N T Y N A P T U
```

ACCENT	CHORD	DECRESCENDO	REPEAT
ADAGIO	CLEF	DYNAMICS	RHYTHM
ANDANTE	CODA	FLAT	SHARP
BASS	COUNT	FORTE	TEMPO
BEAT	CRESCENDO	MEASURE	TREBLE

ON THE ROAD

```
J S N U O M H S K N N P R O R T S T M Z
V U L G Y T S W V A Y Z E M R A U J J X
I I S T R E E T G Q X K S E U W N Y T Z
L B C P O L R V N A E T T R A M G C R G
F C Q M L U T C H J M J S G D B L J A C
D F S D I H D R I A E K T E I C A Y F R
D W N B G L S O G D R R O R N P S Q F O
N D T G H V U S H V G Q P Z T E S V I S
B I I M T V X S W I E U Y E E D E E C S
U P I R S J Z W A S N H Z N R E S H Z I
S A D L E B J A Y O C H W A S S B R A N
S R I W L C R L V R Y L M V E T I G F G
T K I I H S T K G Y K E W I C R A R C S
O I C G K U Y I O E I Q R G T I P B U C
P N C C T T Q D O L T E R A I A T T B T
W G U H Q M C U X N F J I T O N J T R M
C R H D C W X Y I E S V G I N A V H J A
T S Z M T R A V E L M U G O L H N F V S
N G S E R V I C E P I F O N E F N E E F
R O D M H U K J S U N N P W L J G O C F
```

ADVISORY	EMERGENCY KIT	NAVIGATION	SERVICE
BUS STOP	HIGHWAY	PARKING	STREET
CROSSINGS	INTERSECTION	PEDESTRIAN	TRAFFIC
CROSSWALK	LIGHTS	REST STOP	TRAVEL MUG
DIRECTIONS	MERGE	SUNGLASSES	TRUCKS

PARTS OF A CAR

```
B T U C C I Y A C I E E N G I N E C G X
E R X B F F J Q C G R D I K E V P O L X
A A Y Y V I X X S C W X O D U L O M T L
R N R Z M L U P Q T E P I H B H W P K B
I S A R A T T I H E W L D S B A W R M A
N M P G Q E M S I L B C E G U K W E I T
G I R I F R K T G S D M V R B V C S E T
C S P V D E Y O S V I L C I A Q U S S E
T S G V H X X N C F S Q C L S T O O E R
D I R A L T E R N A T O R L H Q O R S Y
W O R M U S H X B A R E C E O E C R P S
Y N H E C X A X L E I P I V C H L W A I
W S X K V T O G F O B X W K K B U B R G
W L R A D I A T O R U B Z S S N T R K U
T F P Q L E B T E G T L T S Y H C A P L
D R B J R U X S Y P O J G T I Z H K L X
P Q B D G N N S R U R T L V K V V E U H
D M L V U J M C A R B U R E T O R S G J
F B G N O N A Q M U F F L E R H L B X R
P U B H E M T F D L E G I O A C U L M R
```

ACCELERATOR	BRAKES	ENGINE	RADIATOR
ALTERNATOR	CARBURETOR	FILTER	SHOCKS
AXLE	CLUTCH	GRILLE	SPARK PLUG
BATTERY	COMPRESSOR	MUFFLER	TIRE
BEARING	DISTRIBUTOR	PISTON	TRANSMISSION

BREEDS OF DOGS

```
E N E S L Q G Q C R B O X E R N R B S K
W E R H V S E P Y N M F L F Y E G T Q H
K K Y E S J K C O L X D G E L U C R W W
Q O A L P D B A R E O T I I E C C H C G
T I B T A C M J J O P G E L F X J P Q Z
V A U I N X J A P V T W G I S H D F X N
P H L E I Z D G S L T A L V F N A V N Z
V H L R E K A U O T E B V D U L E A I E
Y R D E L I C R O B I Z U O N S M C K E
Y H O T G V H R V B T F H A E R V K B N
X C G R M T S N A Y T Y F T E L S V L F
M H U I Z E H X Y D E Z L B O A B P B A
F I P E R R U N L R Y A O A X B O N G S
S H W V F R N O G K M D X T I R I D S E
L U V E P I D G S P F P W G K A E S V C
G A G R U E J U N X X C G H V D T T O M
D H X W G R H T C R F F E B W O B X L A
Y U J S R A X S Y A D F O F G R B H B V
O A C W K X I F O P O M E R A N I A N F
O M Q T U L K L W D R S H I H T Z U O T
```

BEAGLE	DOBERMANN	MASTIFF	ROTTWEILER
BOXER	GREYHOUND	POMERANIAN	SHELTIE
BULLDOG	HUSKY	POODLE	SHIH TZU
CHIHUAHUA	LABRADOR	PUG	SPANIEL
DACHSHUND	MALTESE	RETRIEVER	TERRIER

BREEDS OF CATS

```
O E S H O R T H A I R D S M Y L K C B I
P Y J L E T G C R K M A N X K E T E A B
A R O N W F P A F N B S A I K S S M L N
R P K Q G O E I S E A B N O A E I U I Y
D D X H F O R F I B Q C G O M B N P N E
N J A H R J S A B E I L M R W A N Y E X
N L B M L U I X E L F R U K Y S T A S T
X F Y U E E A W R U F B M A M W H I E N
Z F S N J B N L I N I A L A Y I N O D N
Y S S C I S E V A G W A D Z N S B N E Z
V H I H E I V N N I M M M C G A O V Z S
N O N K T A F Z G I D Y T C E V M E A P
N L I I P M Q K H A Z B H H S A B J H H
E Z A N N E A B Y H L O O A W N A P R Y
E I N P M S V N M Q Z C U R Q N Y O Q N
W P U R J E E I C C F I H T X A Y S X X
E U R R A G D O L L D C G R V H I M T Y
R L Y C T F L S I A M A Y E R K O P S K
G A O M B Q X B V C V T U U R Y N X Q J
C M J E Q M K C Z D V F Z X W P Z V N B
```

ABYSSINIAN	BURMESE	NEBELUNG	SHORTHAIR
BALINESE	CHARTREUX	OCICAT	SIAMESE
BENGAL	HIMALAYAN	PERSIAN	SIBERIAN
BIRMAN	MANX	RAGDOLL	SNOWSHOE
BOMBAY	MUNCHKIN	SAVANNAH	SPHYNX

BREEDS OF GOATS

```
U Q N P Q H C P Y G O R A G F Y T I Y E
Q W U I B U Z V K D N U B I A N V E M K
V N P S G Y Z V R K F H B A R B A R I X
R I P Y A E E T O G G E N B U R G A D M
H O G Y G A R C Z T I C P T R H V N K P
W N O U U M N I H W Y D X E D N J G I C
V D X B L U Y E A R Z O D T A V G O K B
R P V N E S N Y N N A N F A M J R R O Z
Z Q T H C R Q G Y O I M A B A U C A W I
K J E I T D H E L K I R I F S E H O G J
S P A N I S H A X E L G N B C O Z Y F N
D V M B I J T U S A F M T O U M L A C L
U T O S L E A L T L F I I E S P H L Q P
E Y A U F N J E O W I O N R G C L L I M
O H L H P T E M K G I D G A N Y F X X T
M U P J T B F T F J A M N A P A R I Y E
Y K I R R H T B N K B C M R V M V D A T
H F N X L K L Y H Y O A L B E H Q D K E
P F E P V Z K F O W L I B V C W Q K U W
T J E G Z Q Z Y L Y U Q X M N I G O R A
```

ALPINE	DAMASCUS	LAMANCHA	PYGMY
ANGORA	FAINTING	NIGERIAN	PYGORA
BARBARI	JAMNAPARI	NIGORA	SAANEN
BEETAL	KIKO	NUBIAN	SPANISH
BOER	KINDER	OBERHASLI	TOGGENBURG

TYPES OF BIRDS

```
D O C X X O A T V T T L F H K M D D C C
O U S R P A R R O T M D H G A Y H D G S
V E U P A Z X V H T W P X M J E E H O R
E O O K A N A P K B O D M T N V R K O T
U W B Q B R E Q A M O M J D P W O I S K
I O X T O T R Q Y G D N A W E X N N E I
S I Q O T O Q O J K P H D P N M Y G Z L
T H X V E Y J V W B E S E A G J X F F L
O A L B A T R O S S C Z J S U Q U I O D
R I R A D F S A O N K M Q S I N H S Z E
K K F I N C H S O V E U A E N B O H Y E
R C B M Y D C Q A D R Z N R N G R E R R
C J W U F F H I Q P I O X I A T N R L X
Y M H A W W C V W J E A O N K Y B T P X
S F M X Z I M O A G K I W E Y Q I O V F
H U M M I N G B I R D Z L K E M L U Z L
X T H O I I D P M G P W Z Q O U L C Q E
P U U F E A C Y H U C X P P W P M A F W
X Y G K K M A Y H U K K Z R W G A N S J
A F B I S W A L L O W U B P B I B K V Y
```

ALBATROSS	HERON	OWL	SPARROW
CRANE	HORNBILL	PARROT	STORK
DOVE	HUMMINGBIRD	PASSERINE	SWALLOW
FINCH	KILLDEER	PENGUIN	TOUCAN
GOOSE	KINGFISHER	PIGEON	WOODPECKER

TRAVEL

```
M E M O R I E S R F S N Q D D G E C Q B
N A U D Q B L H V T O A C G R L A R M Z
S M J T Q R C I H I D P I H G J I U Y E
O H I Y A A F G S H I S T O R Y S I N G
J B Y D E E I R H V V L H T M T Y S X D
V D W B K S U B M O U N T A I N S E I S
W Q R I B C X Z K T C H P D C Z X E H J
A X H D X L A P A C K T I S H M N L H D
I O A E O L W C N E H Y T D G W B K D S
E O X D H P K O H G Y X I E T E D M X G
R B Q O T Q I K I Y C Q N S W D D Q I F
K J R R T T L C M C N E T T U P N W O
Q Z T V A M F N S B J A R I X Y N A C O
F J A C R Y E O I V K V A N D X B S J K
U H A E Y G R R G B O O R A P M O Q Z N
P V Z T A J E L J J P A Y T Z U N C S L
Q R A A K V F R E E D O M I Z N B I R B
R O J M I I P H O T O S I O B Q H T U Q
H S T R P T O M J Y E X C N N X A Y Q W
L N D D S C Q Z L U G G A G E S A C V K
```

AGENCY	DRIVE	HISTORY	PACK
BEACH	EXCURSION	ITINERARY	PHOTOS
CITY	FLIGHT	LUGGAGE	ROAD
CRUISE	FREEDOM	MEMORIES	SIGHTS
DESTINATION	HIKE	MOUNTAINS	VACATION

BIRTHDAY

```
R P Q W R W C R A X G B G B X M B I W G
Z N A M T T X F Y Z F N N U S Y G T Y T
I V N F Y H P R E B O V O T D L C B G N
B Z M I P F M I A X O Q N C R W I B Q O
P M R D J X I E R N D E K C H E C K G I
Z Z A T Z K M N X O S U O O C M J S W G
T F P C Q S I D B E Y K C N L X B N Y Z
W G I H A P W S R G U L A F O R S C B C
P G K A R K T P B C W H R E W P P G A Q
G A E P Q K X P I I I A D T N S Y D L B
Y B C P A I K S B R A T W T K Q O Y L O
U V A Y P C U J Y T X E M I Y S L Z O Q
R Y K T O M P J M A G F L Q X I R B O D
C Q E C E L E B R A T I O N M F A A N N
E U C A N D L E S S I N G A P Q A S W Q
T V I M H V W U G U Z Z F F L A L H M D
P Z G H D H A G A M E S O F J H R Z V N
L O G V L K O P N W L B C S Y B G T H X
H Z E U U W I U G U M V H U R I U A Y L
J B N D J O B M D N M T Y K D G V P D Q
```

AGE	CARD	FOOD	MUSIC
BALLOON	CELEBRATION	FRIENDS	PARTY
BASH	CLOWN	GAMES	PRESENTS
CAKE	CONFETTI	HAPPY	SING
CANDLES	FAMILY	HAT	YEAR

HEART HEALTHY

```
F P B M Z D M F H U I E G N B B L R A W
S Y M L J J X W W M H X K C A C H X Q O
I X O F S E C T S G X C A E P O W R R F
O G N G X H B F P S P V A L V E R O B V
D P Z G F M R T A J K K L F D J T T B E
N Z X M K U P B C D N C R O F A Y G A R
D A B K X R Y P E H C P O G L B B L A M
F T H K R M X G M D M L F L O W A L C L
O T A I W U X P A L B M I E Q I U E B W
Y A L R A R Y C K X S R S Q R C L U F I
E C Q P A R A O E Y B E O T S C R A F S
S K W Y E I R E R I I U A A I T I F S P
T E R T D L I U F R C N V R K K T H S N
R Y R R E L E E A A R O T K P A S Y M O
O A A S I N D L S H I N P M E Q T U W U
K C L C A B L E H D E N Y B Q R I O E V
E U D H D I T K R V K M X D W R L U A V
P Q W C P W Z A R A T E J K T F F G D N
G E W A G Q C B P L B Y E A Q I A E R V
U U C Z G P D O F E Q A T O I R J C K F
```

ANEURYSM	ATTACK	CARDIOVASCULAR	PULSE
AORTA	BEAT	DEFIBRILLATOR	RATE
ARTERY	BLOOD	FLOW	STROKE
ATRIAL	CAPILLARIES	MURMUR	VALVE
ATRIUM	CARDIAC	PACEMAKER	VENTRICLE

HUMAN BONES

```
U Y M C Q N M H R R W L Q H U H X R C Y
F Z S D T W X E Y I N W L P C S N A O T
I M P F G K P Q T I B B L Q Q T S D C I
B B H J Q C Z H T A Y S E P S R N I C B
U Q E Q M K G V D S T E R N U M B U Y I
L J N T R E R Y C L M A Z E W W U S X A
A L O D F I Z D Z S E M R P A T E L L A
U A I H F T F F X B T U R S A Z F H I I
L I D L I F O L C L A X A C A W C G S J
N P V S B X C U S A C R U M Z L H C O C
A N X H X Z C Y N L A A K Y F U S X O E
R R T X T G I I W G R A T P T A L U S P
C J S Q D P P S C A P U L A M R Y N J H
Q P Y H R K I O X Q A X Z Q A F I P P A
U X H M W Z T Q I M L P E C N D S B S L
G Z K C G O A Z J Q S G T H D Z P R Y A
H G R V R A L H U M E R U S I Z O E S N
C L A V I C L E I Q A T W I B Y J A U G
L C W B G J A F E M U R E I L J O O T E
E I W U G W U U N B L L Q H E L H E B S
```

CLAVICLE	MANDIBLE	PHALANGES	SPHENOID
COCCYX	METACARPALS	RADIUS	STERNUM
FEMUR	METATARSALS	RIBS	TALUS
FIBULA	OCCIPITAL	SACRUM	TIBIA
HUMERUS	PATELLA	SCAPULA	ULNA

ON A DIET

```
T  K  Q  I  V  Y  I  V  K  I  M  K  I  N  S  W  P  Q  O  G
H  E  S  R  P  I  T  H  B  O  C  A  Y  Y  N  U  X  W  T  Z
W  O  P  S  S  G  X  Q  I  M  V  A  L  T  H  E  W  S  A  E
K  F  H  A  K  V  E  G  E  T  A  R  I  A  N  X  T  T  E  O
P  F  U  Y  A  L  K  A  L  I  N  E  F  N  Y  N  B  I  E  R
C  B  Y  D  G  A  T  K  I  N  S  T  Q  M  N  O  O  L  E  W
G  M  J  P  I  B  B  T  P  R  K  L  Y  L  D  D  A  L  F  M
I  E  P  W  X  Q  X  L  J  D  U  K  A  N  A  P  F  M  K  E
L  O  C  A  V  O  R  E  Z  D  P  X  M  Q  V  P  L  A  Z  T
W  E  K  S  K  E  T  O  G  E  N  I  C  R  P  L  Y  N  U  N
X  C  W  J  S  Y  W  M  E  D  I  T  E  R  R  A  N  E  A  N
P  D  Y  L  G  R  A  H  A  M  U  N  P  A  Y  Q  S  Z  U  I
G  R  U  K  K  L  X  H  A  I  Z  D  I  V  I  Z  O  N  E  Y
K  K  T  C  K  R  W  L  M  O  N  O  T  R  O  P  H  I  C  G
V  E  G  A  N  F  E  R  T  I  L  I  T  Y  L  O  G  Z  Y  M
E  Y  F  J  Z  J  S  U  T  N  O  P  P  K  O  S  H  E  R  H
L  E  W  D  T  L  M  Z  S  O  R  N  I  S  H  F  W  C  S  R
P  Q  D  F  L  E  X  I  T  A  R  I  A  N  E  V  T  A  M  X
R  Z  R  L  W  M  F  V  Z  Q  F  H  S  H  D  E  T  O  X  B
D  D  M  A  C  R  O  B  I  O  T  I  C  F  P  T  A  F  R  S
```

ALKALINE	FLEXITARIAN	LOCAVORE	PALEO
ATKINS	GRAHAM	MACROBIOTIC	STILLMAN
DETOX	KETOGENIC	MEDITERRANEAN	VEGAN
DUKAN	KIMKINS	MONOTROPHIC	VEGETARIAN
FERTILITY	KOSHER	ORNISH	ZONE

MATHEMATICS

```
S O L V E S X K T T E E D H Q F V E T L
H L E A B C T W C U C J M V A O O D L G
N S V L S O M Y C K H T X X S R F W Y Z
A Q X E Q U A T I O N W T K U M P P G Q
L U F N Q B U D W M I Q A U B U W B C K
G A O X A E S P C Y O Q P Q T L N Z F N
O R H E V B N M S Y U Y V I R A T J B U
R E Z E L O G A R I T H M F A Q J D W M
I R U G Z C P U D O M A I N C J K X V B
T O X E M U L T I P L I C A T I O N D E
H O M A D D I T I O N U D S I B E M Z R
M T W V Z O Q K S Z C E L N O Q X G L S
P X Z P U N X E Q U A L S B N M P Y W Z
F Z P R O B A B I L I T Y G U N O E K M
A I R Y N Y Y J N W U R N O R L N H N I
Z Y P E O U D I V I D E N D S K E D Q T
K C A L C U L A T I O N W R Q X N V X T
Q F P E V Q X V D I P O W E R S T V D V
S O L U T I O N A D D E N D X V B Y K P
Y D I V I S I O N N N E U B L G V H G U
```

ADDEND	DIVISION	FORMULA	PROBABILITY
ADDITION	DOMAIN	LOGARITHM	SOLUTION
ALGORITHM	EQUALS	MULTIPLICATION	SOLVE
CALCULATION	EQUATION	NUMBERS	SQUARE ROOT
DIVIDEND	EXPONENT	POWERS	SUBTRACTION

BRAINIAC

```
C Z C N Z F C D N N E U P F E M O H K Y
E K N W Q I Z R F A S P X H S E Z W K U
R T E K M C B H C Z A E U R M D Q H X V
E P O N S V O N R S W Y H B P U C W C N
B V L N V S S R H N C P L H Z L E V S W
E N E D K V N N T I C V P J V L R A T M
L P A R I E T A L E P O N O M A E T E I
L I K X M L O B E K X P R J H B V M D
U L C O S I U O N N G L O R N J R W T B
M K N W P Q S P R C J R J C E F U Y L R
T U G J L R M T P P Y J K Q A C M Y Q A
J G L H Y X P I A C Y I G B N M J G I I
Y J A V F X U C P G U T O V Q M P P T N
J N N U S G T N V O L N T D U E B U X K
F N D O L F A C T O R Y V J R N N S S F
B I L B K T E M P O R A L W M I H M X T
I D B S E P I T U I T A R Y X N V J E E
X G M U O C C I P I T A L K E G J G I S
D Y L W D Y A M Y G D A L A Y E S G W D
F G W Y J B Y D T H A L A M U S R V F Y
```

AMYGDALA	HIPPOCAMPUS	OCCIPITAL	PONS
CEREBELLUM	LOBE	OLFACTORY	STEM
CEREBRUM	MEDULLA	OPTIC	TEMPORAL
CORTEX	MENINGES	PARIETAL	THALAMUS
GLAND	MIDBRAIN	PITUITARY	VERMIS

WEATHER FORECAST

```
D B R T X Q M F R C E W O L D I X T B B
G T K B T Z J H E L F I F Y B U W U F E
L H E E E O D U W D R K X N K A Q L C I
W U X R M Q T L H B P O I U A J L Z F D
I N W F P T O R N A D O R M A S L A B R
R D P S E L T J L W J V L R V I C S H A
C E X N R Y C F Y N H M I M A W I N D I
Q R X O A O I C H T U B G H L E E D P N
V E C W T E I Q G I R R H U A A Z Q O A
T N U J U A Z D R Z R Y T M N R K S W K
T S P Y R X X V I E I F N I C T D C Y I
I H D F E J K N L U C O I D H H S L S Q
C H V N H P H X I U A G N I E Q U O L L
F F Z U D O H T G Z N D G T F U N U E R
L Q I X A C A F L F E B I Y H A S D E O
O L D T S U N A M I B R R H I K H Y T V
O J Y G E A E T L R M V Q G Q E I R J M
D C M L P M C R I R C X F K T A N T J S
C H W G I T F K M E S T O R M S E U B L
D R O U G H T B Q O U P L N G Q J G C D
```

AVALANCHE	FOG	RAIN	TEMPERATURE
CLOUDY	HAIL	SLEET	THUNDER
DROUGHT	HUMIDITY	SNOW	TORNADO
EARTHQUAKE	HURRICANE	STORMS	TSUNAMI
FLOOD	LIGHTNING	SUNSHINE	WIND

STAINS

```
H F G R E A S E Y B K G A D V R D O I H
B H Q Z G A E P R D L B D C A R B M R E
F V O K G G E L C O Z G E Y R Y B A W E
I Q W G N F G Y C C C G O Z N O N R I E
G O T O O T H P A S T E D V I O L K N V
R Q E Q W G P J O B I X O O S V G E E Q
P W I D G I A H S O N J R B H F R R J G
Z N V B F V U Z W S K K A E B V A A Z B
G A P R J W B J E V R P N G Q A S Q O E
C F V H X A O C A W U K T M F O S A Z K
Y E V D T Z I H T E S M U S T A R D A E
S G O U O U L F K U S I W M U Z C S P T
X H V F J S T A F L H T M T H M U D Y C
D S A X U X M Q Q W F B N J Y Z A D D H
Q D X J J Y T E L K E I H E J R G I A U
U K W A D P W M Z R A A E F I R F R N P
I X Y O U E P P S P O F K Z X E C T Z J
L T O E U Z Q R X I F E M C Q I E C P T
O L E Y K S S M B O H D J V A E Z F F M
B C X K S J R C C E Y U Z P J T K Y C U
```

BLOOD	GRASS	MAKEUP	PAINT
COFFEE	GREASE	MARKER	SWEAT
DEODORANT	INK	MUD	TOOTHPASTE
DIRT	JUICE	MUSTARD	VARNISH
GEL	KETCHUP	OIL	WINE

DOING LAUNDRY

```
C Q K R I N S E R C X P Q O I S I C V K
V Y R Q N F B E I P U I B M C C G P V N
R K E D C P T I G C U G G N B F E J Q D
Z G D Q T L W A G C N E V Q T G N V R A
D U C D E T E R G E N T V K E H T W J R
U C N G M X S U I E C N S N Y K L D J K
N T H B X A P O P E O L L B L X E J L S
K Y E Z R I J U F T J S E R G U X C H U
B F O L D C B Q T T X W E A Z J K Y Y J
U P O I Z L A O P T E Y V B N G J C M G
Z A M G T O C L I N R N Z A S H Z L J L
C W P H N T V Q R D N W E N J S Y E U B
I O A T Y H N S O X J J B R Q S B T B W
D A L S S E C L N M L Z I B D G A S T L
I N K G H S H L C R K Z Y Z P M S T M N
G T M Z T E Y E F A B R I C Q Y K A L B
U N A X U Q R L O A D S B I A I E I F N
D Y S W S X Y T M P K J Z D N Y T N R O
P H N N D X G A M D I R T Y Z R T S A G
W U Y D S P I N O S X I O N D S D E L P
```

BASKET	DARKS	FOLD	RINSE
CLEAN	DETERGENT	GENTLE	SOFTENER
CLOTHES	DIRTY	IRON	SPIN
COTTON	DRYER	LIGHTS	STAINS
CYCLE	FABRIC	LOADS	WASHER

THE COUNTY FAIR

```
U P J Y D P O N I E S V K R F O X K R P
S Y A K R K M R Q A J B Y F Z N A S I N
A Q I H S P E C T A T O R A H E W P B S
D A G R A N D S T A N D V I N N D Z B F
O N D Q Y M E A J Z I N D R W T D L O N
Q I Q D T I C K E T U O V G R E L R N N
Q M Z E E A X M E C O S H R F R M P S F
E A G N S D Q E C F V H R O A T L P E Z
A L N E X H I B I T I O N U D A M I Q P
H S S Y B M D P C F V W F N M I I E E B
F R I E N D S Q L Q B C Q D I N D S G T
N C M C A N D Y I I E T U Q S M W C B E
Y O L D J M O L O U V A L A S E A H M N
L N L F N X V H D X X E M D I N Y V L T
S T O M D G Z H Q U Q Z S X O T L O F C
V E J I H N P Q Y K Q N T T N I I F I N
X S S B O U W F S D Z A P I O V I S L C
B T M Q J W G O J K L T N H M C U E D K
O S N B K X T J P Q V Q H B O M K I N M
D Z T B N O I F S O V H R O Q Z T G D P
```

ADMISSION
ANIMALS
CANDY
CONTESTS
ENTERTAINMENT

EXHIBITION
FAIRGROUND
FOOD
FRIENDS
GRANDSTAND

LIVESTOCK
MIDWAY
MUSIC
PIES
PONIES

RIBBONS
SHOW
SPECTATOR
TENT
TICKET

SUMMER CAMP

```
N I F P D Z C C R A F T S D V O T N D V
V M N A O O A Q J E R F K A B E X K L X
C S K J C H N B P U F M S N X K A A Z O
O D J L Q I M Y Y Q X R G C A H C L I V
V P E D I O V Q P L O N Y E K N A O L E
S Q N V F I Q I U O I Q J S G E B D J R
L Z A J O O R Z D K E N S V H S I G S N
Y C U B I L J T R G Q E G Q F C N E W I
K N O Y G P U O A Y M I O F C H I A I G
V L M U Z O W G H A F L Y R W E K C M H
O S Q S N D V A G X D P R Y V D C T M T
V I Z B O S Q A G S O N G S T U A I I A
K X B O F U E T K Y M K D A A L N V N E
L F W D O H J L E M Y I X G K E T I G D
Y H Q A D X R R O R I D W L O J E T T E
B L M T P U U N E R H W W I V T E I Q I
U S P T N T G H L D F N X H S N N E Y G
N M W T A Q C A M P F I R E E A R S A G
K D Q N D R L N H R G E O L D G S L Y X
S F J N A C W C C A M P E R I F F Y Z E
```

ACTIVITIES	CAMPFIRE	FLAG	OVERNIGHT
ARCHERY	CANTEEN	GAMES	SCHEDULE
BUNKS	COUNSELOR	LODGE	SONGS
CABIN	CRAFTS	NATURE	SWIMMING
CAMPER	DANCES	OUTDOORS	WOODWORKING

PLANTING A GARDEN

```
C L H U G J X O B E A N S G V X C O R N
N A D W N H M K N P L A N T R N T H J K
E N M M W N K G C J M K G A C V P V P N
I R X U I B K X F E R T I L I Z E B D W
O Y J O A Y Q F C N Y N G L E D I G H E
X Z S H V N W P E Y Z W J Z O Q P Y O P
Q R P P B Y K R Y E S E A S O N C H H K
E G R X U P R O D X O T A S J I K M E V
Z V O S L U S P L G R O W F N A Z K I V
B K U A W S E A W D H W F I I H A T Z S
T H T E E M G G H J T R H M J R Y O C M
Q E T R X D T A B V E C L J V P X M O K
B W L A Y K M T D N C A V G I I Q A M A
I K H T S E Y E E U I Y N Y L P M T P A
S W L E G E O D Z S Z I V O G Z V O O S
E G P T V U R Z U L C O C Y J E I E S W
E B R M W A I Y J N G C P J M A E S T Y
D D U S G P E I G G O K R S O J L H J E
W P N Y S M Y F Y R N Z W A T E R B U E
G Z E Z A I I A B J V W E E D E P R J G
```

AERATE	FERTILIZE	PROPAGATE	SPROUT
BEANS	GARDENER	PRUNE	TOMATOES
BROCCOLI	GROW	RAKE	WATER
COMPOST	HOE	SEASON	WEED
CORN	PLANT	SEED	ZUCCHINI

PAINTING A ROOM

```
Z E U L V K Y Z P R E P A R A T I O N N
A P B N V Y S P P M T I G R O L L E R V
C E L S D G O W P J R D O B Q Q R R V M
U G R S E E Q Y N E U T R A L N N H W B
J S O T T A R G J E Y E X I Z O V J O O
M H U H L B L T B Z M Q N X S V H Z K P
C D Q I Q K N E O F M A S K I N G H C A
Q R T N Y H O S R N P O X V Q P H I U C
H Y P N P L Y Z A Z E A S F O S M S N I
I I P E X K D C X N L O B N I N K H J T
O N X R V C H T O P D L D N A U D A K Y
V G P G F K O U B A Z I R C J I I D O D
L N G R J Y V J R I T A N R M B P E C Z
J C T X M R O G U N S P G A N P K X J
F M Y E Z X E E S T O G H F Z C I X N G
H J U M M Q B Y H I M J O U U J N I X I
D U Q R S W U A B C B A F H I O G M H E
Z I E Q X S R I D Z Z P I G M E N T J N
E Y G M M F F M P M X N F J L N J F T W
I D O O L P P R I M E R R W D E U B L F
```

BRUSH	HUE	PIGMENT	SEALER
CAN	MASKING	PREPARATION	SHADE
COATS	NEUTRAL	PRIMER	THINNER
DIPPING	OPACITY	ROLLER	UNDERTONE
DRYING	PAINT	SANDING	VARNISH

SCRAPBOOKING

```
E M B O S S I N G S O Z A H G X E X F M
R E X E C G S H E K X U Y N P B V U W W
G O G J M R L O F E H L R B K Q W C K A
A U C A Z B O M P Z G D W D O M A T I M
R A P U G F E P E N J B N W G O T W Y A
E Y G A R B O L P M I Z E X D D K A T T
C U S E U F X C L I O S T I C K E R S T
O V T E C R K D U I N R Z X C G L U E I
R D A N N J U E B U S G A V B R T T Z N
D B R A D S D Y S Z J H O B L W A Y L G
W J F H D H O E X T L N M A I L A F Q A
M V P M Q P R L B Y Z K Y E P L N B T B
C F Y C M X E E V E L L U M N E I X D S
E A Z D T U X T P I P Z E N G T F A K M
F M F W W U G S Q A Z T J A L N P I I M
W E P I C T U R E S A H L H I Y L Q L K
L L V V F O R F S C Q L M O U N T I N G
K E Q P U N C H K V O E C U T T I N G Y
L M F U R Z B C H C U T A M M A N B O Z
D G A S V I G S C H I P B O A R D F R V
```

BOOK	CROPPING	GLUE	PUNCH
BRADS	CUTTING	MATTING	RECORD
CHIPBOARD	EMBELLISHMENT	MEMORABILIA	STICKERS
COLLAGE	EMBOSSING	MOUNTING	TEMPLATE
CRAFTS	EYELETS	PICTURES	VELLUM

ON THE PHONE

```
R X G G F Y W I B G A M E S E B T L J S
D M V R C L K N H R B W C W F Z I W D D
Y M N Z O F W T C I X C B I H O I P Q L
M T C A N F I E F D E M A I L T P Y V K
E E O X T U G R U V Z J O N S Q C K T M
S A M O A I C N I K D C E Z I Z H O U C
S C M O C B R E A X E F X B Z K A F V A
A W U Y T H S T Y C F B I U S R R I Y S
G L N I O T N E R G J M B R E Q G S B E
I I I Z F N X S G U K T E S R E I C A R
N W C F I X H Z J R X V O B V A N A T N
G I A D T V Z M O Q K T J W I Z G L T W
Q F T K O S X W G H O C Z M C B J L E Z
F I I F C A T L T H P Z P E E K C I R T
M M O M E E Q X P E A N E D H V Q N Y I
E U N P N R X Q K Z X I G I Z Q S G N M
R Z S J A K I L L I W T F A G R N T D E
B M W I F V J O N Z E A I V K V B W D R
B E E P C R O J C U N K R N I G G X G A
V F Y I K O X K F C K O H J G Z A L M T
```

BATTERY	CHARGING	INTERNET	PHOTOS
BEEP	COMMUNICATION	MEDIA	SERVICE
BUZZ	CONTACT	MESSAGING	TEXTING
CALLING	EMAIL	MUSIC	TIMER
CASE	GAMES	NETWORK	WIFI

DRIVING

```
Q N H U L H X W E K L M N B P M M E L Y
I L O W I P E R S X N I M G F P K C R P
W H E E L J M A B C Y M G R Q S D A G Q
J P W Y T W Z S X M J K H H B A U R U T
O A I G N W X L Y V F J C S T Z Y X G T
C R N T J H E R E V E R S E P S M W G A
P K D U P S B P V C D C E U O H B I X X
T W O R E V G U X A G B K A B C B N A T
J B W N J J Q D A S H N E Q W U F D C G
R P S Y U U U M G Z N E Y Y T X N S C L
G N B B X Y Z W M O E U Z P F K N H E G
T R U N K R H Y I L S T L C C K P I L E
U H Y X D M H T G I V R H Q T P C E E O
U J N E T X I H L S E A T B E L T L R H
I Y Q X F N A A K Z W L P V H C S D A W
P D M M G B V A P U D R I V E L D F T N
D Q D I V P N Y G A S O L I N E W A E Z
K Y R U B X K Z Y R A D I O T Z L S K F
M W G N J H J I P G A R A G E A L X O Q
T Q U A H E Q T Z D P S W T X V Y Z G V
```

ACCELERATE	GASOLINE	PARK	TURN
CAR	IGNITION	RADIO	WHEEL
DASH	KEY	REVERSE	WINDOWS
DRIVE	LIGHTS	SEATBELT	WINDSHIELD
GARAGE	NEUTRAL	TRUNK	WIPERS

PRESCHOOL

```
V Z T S I X F W W E B Y I Z N E N J T B
Y U A N R O B D J E X T N Q F O A T K N
W Z E T H Q N H K Q B U D N H Q O F E B
C U R I O S I T Y X A P E B J R K P U X
C E S I U Y V D B N S B P C W E W Y F R
I K M D U B T C U G H X E O V A Q N M K
N I O A N J T O W A A R N U R D B C Q M
I L R X Q R S L F T N P D N E I V V N X
X P X K A R K O N I U L E T C N B U K R
P D T R D D E R M O M A N I E G J M N M
Z B A H P I I S U V B Y C N S N S N H I
I V U L O L O V T H E I E G S Z C V M B
S Z B S P S A D E V R N S Y V O H U X U
I N N M N H H Y X R S G L T O I O C S T
I T A A W Q A A G D S I A J U B O S M E
C A V K P A C B P R U I L U Q D L Y I A
S T R U C T U R E E O T T O B H E Y H C
N X K T A I I M B T S U J Y Q K G N F H
Z M C W D P Q M H W A A N V N R H R T E
B A S I C S R T E B J J G D A A T U F R
```

ALPHABET	COUNTING	NUMBERS	SCHOOL
ART	CURIOSITY	PLAYGROUND	SHAPES
BASICS	DIVERSITY	PLAYING	STRUCTURE
BUS	INDEPENDENCE	READING	STUDENT
COLORS	NAP TIME	RECESS	TEACHER

BANKING

```
Z V H C Q Y U G L Q R Z C R T L H G M F
G W L H A Y R Y I V Q X E Y W Z S D A U
E P V E L V C W O Y A D A P B Z Y X N T
T S R C I S C Z E L N P M B A N K B A M
B J C K D R G D T E U Y R L X Q A G C
E B V D H Y U N L T M O N E Y O R D E R
D O H O N L I N E W Q A H K W C D T R G
S U F F L P R M X T P F J M K H N Y R X
O Q M W N F U L H J J H T T N E D P S T
D E B I N V E S T M E N T O M C O I N S
P T J F M L Q M B K Q K R E N K P X O T
T Q J T W S C U N W P J T Z U B C S S R
T N A X B F B T P L S A L B W O J L Z A
T E B H L K I R J U T P D R B O G N Y N
K S S S O H G U K S T N T I F K G H O S
D A W A T W L S J K Z D V D E I X O I F
C A V P V Y F T P E E J Z R E J C L F E
A Q V E E X U C M G O V V R S R D D V R
Q P R S L F X V I D T E L L E R X C V M
D R Z V Y J N M P U C H A R G E S S F Z
```

ATM	CHECKBOOK	LENDER	PIN
BANK	COINS	MANAGER	STATEMENT
CASH	FEES	MONEY ORDER	TELLER
CHARGES	HOLD	ONLINE	TRANSFER
CHECK	INVESTMENT	PAY	TRUST

GRAMMAR POLICE

```
H  B  P  E  R  I  O  D  K  D  G  Z  Y  S  B  R  W  O  P  Y
B  K  X  A  U  V  O  Q  B  G  B  N  R  V  G  L  X  Z  H  G
I  N  M  T  C  A  N  V  B  C  Q  E  T  Z  A  A  W  N  O  X
Y  O  C  Y  O  T  J  P  O  M  I  S  Z  R  O  K  E  O  M  Y
V  U  H  O  S  U  X  H  A  F  D  T  U  O  C  L  E  I  O  T
S  N  X  E  Y  W  B  V  I  M  Y  L  D  E  Y  K  E  M  P  E
R  I  B  A  M  K  U  D  L  M  P  H  K  N  W  K  X  C  H  N
U  P  Z  B  Y  S  O  P  R  E  P  O  S  I  T  I  O  N  O  S
C  A  Z  R  A  M  K  Q  U  A  N  T  I  F  I  E  R  R  N  E
G  I  U  Q  X  Z  S  I  N  G  U  L  A  R  R  I  I  T  E  Y
O  I  D  X  C  C  A  P  I  T  A  L  I  Z  A  T  I  O  N  Y
H  M  V  B  T  H  A  Q  Z  L  T  I  B  H  K  Y  G  T  G  A
A  P  O  S  T  R  O  P  H  E  N  I  D  M  F  W  C  U  W  R
A  J  P  Y  L  S  Y  N  T  A  X  Z  Z  S  R  U  O  E  T
T  B  Y  H  D  E  C  S  P  A  R  E  N  T  H  E  S  E  S  I
S  V  Q  T  S  U  B  J  E  C  T  A  E  O  U  T  D  R  C  C
T  Z  I  G  P  H  O  I  A  D  J  E  C  T  I  V  E  N  O  L
X  Y  A  B  B  R  E  V  I  A  T  I  O  N  H  V  H  L  M  E
Y  A  E  C  D  Y  C  V  E  R  B  K  D  W  C  Y  E  B  M  E
P  R  E  D  I  C  A  T  E  O  Q  U  Y  V  G  L  N  K  A  O
```

ABBREVIATION	COMMA	PERIOD	SINGULAR
ADJECTIVE	HOMOPHONE	PLURAL	SUBJECT
APOSTROPHE	MODIFIER	PREDICATE	SYNTAX
ARTICLE	NOUN	PREPOSITION	TENSE
CAPITALIZATION	PARENTHESES	QUANTIFIER	VERB

VACATION DESTINATIONS

```
S W X V P U B H B T S P R A G U E H T J
R D P I V K W A J S A F I R S N B X R B
V S G T K T D R O X Q O Z F A M S J T R
X E U E E X B M H C I Q O B L E I O X K
T C A W S G L E O U Q M S N I Z N C N H
U M T L A U M N R P H I T V T M G O J S
R N E S F S L I K L R K M R A U A Y V O
K T M T T N C A S B I L E X L X P E T I
E N A W A P E O D P P N C G Y R O H N S
Y M L V H U N W T H M L A V Y A R P M R
I Q A C N G S G Y L Y K C P L P E I U A
W E T T A C B T L O A D D O Q H T C A E
T G Y Z M A W K R B R N I L O E Q A I L
F Z T X I M L A Z A I K D M B X F M R J
P O U G B B U L Q X L J A E M V I B U A
Q I E Q I O O I Q T Q I A P P L N R E M
C G P B A D K W P D R I A J R T D I K A
X J U D C I K Y S L C K A D T G I D V I
E P J T X A F M A L A Y S I A W A G U C
R Z N Z F D E N Y B O M A N E J U E P A
```

ARMENIA	CAMBRIDGE	ITALY	OMAN
AUSTRALIA	EGYPT	JAMAICA	PRAGUE
BERLIN	GUATEMALA	MALAYSIA	SCOTLAND
BRISBANE	INDIA	NAMIBIA	SINGAPORE
CAMBODIA	ISRAEL	NEW YORK	TURKEY

THE GOLDEN STATE

```
N K X V Q B G Y T K F M T X M G D D W W
X G S Z V F O R H U V A F K C G F F Z C
J S H C V R P F E R R C V W U O H H Q S
B A U H B V W S G P Y E A F T L P J P G
E N P I O Y A M O J J L M S S D W R A A
A F U N X K A Y L L F E I I N E W J I L
C R Z A C L P N D L W B N S Y N K R N C
H A B T A O P R E O Q R K A Y S D V T A
E N T O B S L P N M D I V N F T R D E T
S C D W L A E I G B E T R D M A E I D R
O I H N E N P E A A A I N I B T D S L A
C S O M C G A R T R T E G E V E W N A Z
A C L K A E R 3 E D H S J G V W O E D T
J O L W R L K 9 B B V T A O I A O Y I Y
Y H Y S S E T Z R X A S F W M R D L E Q
M K W E Q S G T I Z L U I T S R T A S P
E Z O A W C T U D S L X B Q G I R N J W
S G O L P S N Q G O E S R Y W O E D S T
K C D S F W C D E B Y W G O H R E H O R
N K L P R I S O N E R S F B Z S S Y S D
```

ALCATRAZ
APPLE PARK
BEACHES
CABLE CARS
CELEBRITIES
CHINA TOWN
DEATH VALLEY

DISNEYLAND
GOLDEN STATE WARRIORS
HOLLYWOOD
LOMBARD
LOS ANGELES
PAINTED LADIES
PIER 39

PRISONERS
REDWOOD TREES
SAN DIEGO
SAN FRANCISCO
SEALS
THE GOLDEN GATE BRIDGE

DONUT SAY NO!

```
N H B R J A H G M C K M X H Z V R N B F
O D C O W G M H F Y W D M E J E K E R J
D G A U Y A L W Y L E C E Q T L E I I C
K X Z N J K X S N Z B R A T L K I V V R
O O U D N H X O A C F R I O A O I S S E
L G V P Y U T L X N A R R C R C D V T A
J L J E Q Y G C E J F N E B E B O Q F M
H K K R K V T T B Y O T Y A D L N B R S
A G G S Y X U P R M A W L V V U U L U T
P L O H N L I R A L L K W A E E T K I I
P A U I G Y E N O W G M F R L B H X T C
L Z R N E H N C W S X Z X I V E O T F K
E E M G C I O B E X E E Q A E R L K I P
F D E I C H W Z Z D U H H N T R E A L F
R T T W C F Y F C U T W L S C Y S X L Q
I W V A N I L L A C A K E T I I W A E Z
T I F M A P L E B A C O N I W H G C D Y
T S E R R A I S E D U H V C D N I M Y I
E T L N S O U R C R E A M K N I Y Q X I
R S D N W M W C I N N A M O N T W I S T
```

APPLE FRITTER	CREAM STICK	MAPLE BACON
BAVARIAN STICK	DONUT HOLES	RAISED
BLUEBERRY	FRUIT FILLED	RED VELVET
CHERRY FRITTER	GLAZED	ROUND PERSHING
CHOCOLATE CAKE	GLAZED TWIST	SOUR CREAM
CINNAMON ROLL	GLUTEN FREE	VANILLA CAKE
CINNAMON TWIST	GOURMET	

BREAKFAST TIME 2

```
R U F Y N W Z P K M H F P G M N M G D N
U D W L M Z W U A I P O X I G R I T S Z
A O Y C A E U S D B Y O X Y N A J X M G
K U I O A V X P C W L N R X Z Q Q O J R
F H G F C A Q W L G R T X Z O A W X U A
N L U F Y M M A S O S A I T T O Z E I N
N R Z E B T N E Q A T P P A R C D U C O
G A C E O F I F P P D C T V S A N K E L
G V C E J R R P M L X T N W Y I Y C O A
E M H C R L R E O F I N R R F W H C Q Y
K Y A E R Z M C N R R V K F W X T R O W
T B B K I D A N F C J R U P X P H O M F
U M O K W Y T P G C H M M S D O H I G C
S A M F R E H A M J H T I A K P W S Z P
I V U O L X D R W S W O O L V T Z S B X
T W Y E K G X A I X Z M I A U A E A X L
N E M A Z L E L L C Q M A U S R E N O V
I O E O Q T G F M Y Y S W T H T E T S S
H T K T H N H I J C V W E W Y S N R N F
S P B R E A K F A S T S A N D W I C H B
```

BERRIES	FRITTATA	OMELET
BREAKFAST SANDWICH	GRANOLA	PASTRY
COFFEE	GRITS	POP TART
COLD PIZZA	HAM	STEAK
CROISSANT	JUICE	TEA
ENGLISH MUFFIN	LOX	WRAP
FRENCH TOAST	MILK	

WINTERTIME

```
L V Z J H E C F I R E P L A C E Z V Q Q
J E V M O W I L X Z T A L O L D M C W U
Z M W N T U J W S P L L Z F Z X V O I L
M M E R C H E C U Y I M D S H J Y K N A
I S Q Y H I I O D X C F Z A M K N S T U
J N I X O L F O P Q E G H A T O R Z E Y
D O C Y C L G K B M B H N S L H N A R E
Y W I R O S H I Q C P L T N Z S S N M N
P S E L L X N E N Y V N I W H N L G R S
D U N D A F Y S V N E U O E X O E C S M
C I X T T H M H K M H N Z Q N W D O W N
H T B T E I B I A C S B K T L A D L L H
R S L F O K O N T S B G F X Q N I D Z S
I O D T O O R M E T N J L O B G N M G O
S A U B Q O T V Z I E M Z Z Y E G L W X
T S H O F P O D I H M N Y V J L Z X U X
M A G O T L J K B R S R S F E S C J T H
A Z C T G D S F R O S T I N G Z E C E J
S L G S M M Z S K V V P N Z V E J V J A
D Q L S W U W F S N O W M E N C K L S Y
```

BOOTS
CHRISTMAS
COLD
COOKIES
FIREPLACE

FROSTING
GLOVES
HAT
HILLS
HOT CHOCOLATE

ICE
MITTENS
ORNAMENTS
SKIING
SLEDDING

SNOW
SNOW ANGELS
SNOW SUITS
SNOWMEN
WINTER

FRUITS

```
N S J R S G L U R U N G R A P E S C Z N
S W M D F J U A G J Q U W N U A D L R Z
A T A Y U F E R P H H K E I E K X E D Z
E C E L E P C S A V T I A U M T M M Y U
O A H J C A N T A L O U P E S J J E F V
F N E E H S G K D L Y Y L F J N P N S J
A B L F R X C B P K I W I I D Z Y T T B
L L J D L R S P W M C P J P H Y B I R V
P L A U I G Y B L A C K B E R R Y N A P
P Z E F U R E K Z N W E S P B U W E W M
I J M D U K M A N G O X Q E A M Y S B Q
P C S D S W A T E R M E L O N P T P E X
E U L E U A D K O E W J F K A Q I F R S
A T N U M D B V W G H E T A N N N R R O
C J A P P L E V O B Z W W Z A H N E Y B
H B P I N E A P P L E N H O N E Y D E W
N J O R A N G E J E Z W Q X A R V R S D
W M J C U G R A P E F R U I T P L U M Z
W Y X X E K U B L U E B E R R Y Q N F K
Y W R H R A S P B E R R Y L M U Z G Z O
```

APPLE	CHERRY	KIWI	PINEAPPLE
BANANA	CLEMENTINE	MANGO	PLUM
BLACKBERRY	GRAPEFRUIT	ORANGE	RASPBERRY
BLUEBERRY	GRAPES	PEACH	STRAWBERRY
CANTALOUPE	HONEYDEW	PEAR	WATERMELON

VEGGIES

```
H B S X A B Z I P N G A I B F I H L J V
P P N W V O U D D O I B V F A M A A H L
K R H J W Z Q A D M T R P J R P S T W D
Y P W P M Y D E E N Y A B E I G P K M Y
A O N I O N S R D Q Z J T N A F A J Y T
P D Q J W K X O Z A V T S O W S R G C M
D P E P P E R S O C M R X S E I A P G U
K A X P A U R K T S A A F J F S G A R S
S V Y R D V T G M P U I M E U Z U R E H
T W K F C H Y M R W C R A E X P S T E R
A O C J B O V G W Z A C A N N G Z I N O
B F Z Z R W R Z G U U E Q D L N M C B O
P M P R O B J N Y C L L R L I M Q H E M
A H E B C T U J K C I E X O Y S I O A S
X N O M C U C Y A H F R U Z Q K H K N R
Z Q M S O R A P L I L Y R U H P W E S Z
J S F E L N R S E N O H L X J O N Y G D
Z F R O I I R K V I W S Y I Y B B M Q R
B S Z S K P O N R M E B Z X K D K C W J
X G L H W Z T L H A R T D E K I I A K G
```

ARTICHOKE	CELERY	MUSHROOMS	PEPPERS
ASPARAGUS	CORN	OKRA	POTATOES
BROCCOLI	EDAMAME	ONIONS	RADISH
CARROT	GREEN BEANS	PARSNIP	TURNIP
CAULIFLOWER	KALE	PEAS	ZUCCHINI

BIG CITY USA

```
G A E C V I O S B W L Q X B P T O P M Y
C E S B N S F X Y G V Q K Y U G L L A D
A O C S A P D M D D K K L A A H Q I Z E
U D F P R R O S Q Q E L A C X B H V X N
Y O L D U I J A M U M R I M L P A C Y V
N E H A G N Z S Y X O H W B L D Z F F E
C S U L S D V L J Z C U Z E A S Z C O R
C A X L A I S X I A J S D G U I Y A R B
H N C A N A A G Z H C A P B S J P V T O
O D T S A N N W W N L K M T T N P C W N
U I K T N A F Q J I F U S G I H H T O E
S E S S T P R G H K L B L O N I O K R W
T G C E O O A P X O P S A C N F E K T Y
O O M A N L N A C A I O L C I V N X H O
N E J T I I C Y L K D R M S J P I U Z R
G L O T O S I K A G B O N U D R X L T K
V C V L M Z S F Z Q T N X O N H U G L E
T G H E C N C J W M S A N J O S E Y G E
W T Q N N K O Z E H S C H A R L O T T E
L O S A N G E L E S Z L D K E D M R F R
```

AUSTIN	DENVER	JACKSONVILLE	SAN ANTONIO
CHARLOTTE	EL PASO	LOS ANGELES	SAN DIEGO
CHICAGO	FORT WORTH	NEW YORK	SAN FRANCISCO
COLUMBUS	HOUSTON	PHILADELPHIA	SAN JOSE
DALLAS	INDIANAPOLIS	PHOENIX	SEATTLE

POOLSIDE

```
F E U K P I C T U R E S Z R R K J I M W
O I S R B B W L U K X U H R W E C F F W
D Y S Q N O A L A Z N L R D Z Y L U M S
H C B K L Q T J D J G F K Z S M L A G J
M S U I W D E F N F H U R T C I H N X U
F D A S U G R L F A M I L Y M G I T O M
R U D G P D B I C Q J J I X U H Y I F P
A I D A I L A P T G I S C R G M B D A I
K H S M Y N L F D Z C F V U P J I A F N
D O G E Z N L L U P B W A R W P F N R G
D T X S C S O O S U N L H N M V I C I Q
T D O X X L O P J L Z Q M U S I C I E Q
E O K R C S N S C N W F Y Q H A I N N W
T G J Z T F S S L I D E S V H H Z G D R
G S M F P F B I C T A M F L D D Y P S P
K E A M U Y J H A M B U R G E R S T T U
P R W T X S Y X I K X V F S S C U W O R
V M M S T P M S R H E T O W E L S Y E K
N W W U R D Y W N F R U I T N K C E T G
P U B S N Q Z W A T E R H S U N F X B F
```

DANCING	HOTDOGS	RELAX
FAMILY	JUMPING	SLIDES
FLIP FLOPS	KIDS	SUN
FRIENDS	LAUGHING	TOWELS
FRUIT	MUSIC	WATER
GAMES	PICTURES	WATER BALLOONS
HAMBURGERS	RAFTS	

SUMMERTIME ACTIVITIES

```
F J O U Q W B Y B G F I T E K L S K D W
I T I R R L L V N U R I U X A J K P Z I
R K C C C Q F I V P I W U K Y Z K G Z F
E A E Y C Z M C C S C T N A B A C N F
W S C C R I Q F X F B S M Q K E N M C L
O W R B H X E C P C E N X A I Z J Z P E
R I E B N C G U O Z E D X N S A T F B
K M A A B S M J F R L G Q J G F M F F A
S M M S H D P P B B N M M T N X L J O L
G I G K V B R I Y S I H F K W J X P O L
K N S E E O A I K Q U K O H E X Q A T T
I G H T S N V I V E D E I L G F W O B U
C I D B D F D P T E B Y Z N E P Q X A A
K O P A A I Z F Y S I A V K G P V J L A
B G R L U R V F J N U N L I P P G N L Q
A Y L L B E Q P V G D H L L H Z C P P U
L O P Z U S V C A N O E I N G E P F R J
L N J K S A A G C R N W S W F W Q M X I
F Q H S A N D V O L L E Y B A L L H Z A
H X T U B I N G R C A M P I N G F C M Y
```

BASKETBALL	FIREWORKS	KICK BALL
BIKING	FOOTBALL	SAND VOLLEYBALL
BONFIRES	FRISBEE	SPIKEBALL
CAMPING	HIKING	SWIMMING
CANOEING	ICE CREAM	TUBING
CORNHOLE	KAN JAM	WIFFLEBALL
DRIVE IN	KAYAKING	

HOBBIES

```
F P Y F Y F U F Y N M A C U R S I D D R
J W K T U G L S G T B H W Z C G J R A X
X M R K T P C H P A I N T I N G H A N C
P H P C J R C O A A N J G I U Z T W C J
N E B K M P E P R P Z B T G I H S I I Z
D E Y F G H R P C Y S I N A J I K N N I
W X L R K O A I H L R Z T R C K N G G S
X E E G M T M N E W M L W D L I I M V K
L R A S O O I G R V W S B E T N T E U A
Y C R C R G C B Y G O C X N H G T C R Q
J I N S I R S S D X O R H I I E I R F R
P S I I G A B M C P D A U N Y L N O L Y
U I N K A P L Y O D W P B G Y A G C F S
J N G U M H K N O Y O B J U M Q Q H U M
L G R Y I Y U K K I R O N N P S Q E B Z
Q U I W Z Q Q A I L K O P U U J Y T F Z
M P M D S E W I N G I K D H N J L I V O
C P L T Z L A A G R N I X J T Z N N T W
Z U S I T U T K G W G N E N R P N G A N
C K H U N T I N G I U G Z B L H Y Y T V
```

ARCHERY	DRAWING	KNITTING	SCRAPBOOKING
CERAMICS	EXERCISING	LEARNING	SEWING
COOKING	GARDENING	ORIGAMI	SHOPPING
CROCHETING	HIKING	PAINTING	WOODWORKING
DANCING	HUNTING	PHOTOGRAPHY	WRITING

TO DO WITH FLYING

```
S E C U R I T Y A S H O P S D G L R A J
T Z F E V P I L L O W X J F U A I Y N Y
K D U I E C N J W V H E A D P H O N E S
E C L N F D F T A K E O F F H P D E B K
A L Y L N W F O O D T E H U T C F G A G
N B G M M T E Z Z R H S W Y V B A M G D
N G A D T C A R R Y O N E M V Y Y X G M
C H E C K B A G E T A T Z A Y A Y O A E
F T L X M J A G A P K A C N T C T L G J
B T E R M I N A L K T G A T E Z W F E W
R D F L I G H T A T T E N D A N T L C F
X M T S Q Z E S B B K H S H H S I A L P
D Z E O R M L C Z U B M H T I O T N A M
B O A R D I N G P A S S U R Z U J D I P
K A F L W A P I L O T L T X N V Y I M M
F S T A B L A N K E T P T X Z E P N P Y
J E X A K I H G W O G T L W S N G G U P
I P A I C A I R P L A N E R M I I G N P
B L C R Z S R C C R M S W N U R E E R R
K J E Q R L H I C W N E B G O S J D Y W
```

AIRPLANE	FOOD	SECURITY
BAGGAGE CLAIM	GATE	SHOPS
BLANKET	HEADPHONES	SHUTTLE
BOARDING PASS	LANDING	SOUVENIRS
CARRY ON	PILLOW	TAKE OFF
CHECK BAG	PILOT	TERMINAL
FLIGHT ATTENDANT	SEAT	

JUST DESSERTS 1

```
B E T B R E V W F B M T M P L C S C N C
C F G Y C A K E Y Y C G I B R O W N I E
A P E K F U D G E A R U M R C Z X K I K
R N E C O O K I E S F R Z I A R G R O H
R O S L B R O O K I E X O P Z M W P Y E
O B U T T E R B R A I D F N P V I R W O
T F N C P P H S D E I C K T M T Y S G N
C C D P U F G Z N B U U C Y J Q Z S U L
A D A I X J L A Y E R E D D E S S E R T
K W E E R B N S K U X G B P A N U J S I
E C H E X I R M U P D V Y N N G H L S T
H S A N G E L F O O D C A K E G W N V B
B D C A N N O L I K R V L I O N N H L Z
B U C U P C A K E X Z S S G D O N U T S
V J G U E Y N D D I N P A S T R Y C H T
X N C I N N A M O N R O L L Z F G N F W
V N P C H E E S E C A K E C D I Y V Y E
M L X N F U N N E L C A K E O Y D Z T Y
X C S S V B F Z N N N W H Z Z Q N E F S
W G K M S W R A I C E C R E A M X T F G
```

ANGEL FOOD CAKE	CHEESECAKE	ICE CREAM
BROOKIE	CINNAMON ROLL	LAYERED DESSERT
BROWNIE	COOKIES	PASTRY
BUTTER BRAID	CUPCAKE	PIE
CAKE	DONUTS	SUNDAE
CANNOLI	FUDGE	TIRAMISU
CARROT CAKE	FUNNEL CAKE	

COMPUTER IN YOUR POCKET

```
I G D B B C K T E X T I N G Y L X L O R
O B V W C L O U D F L U K O N C Q J W G
W E A E Z Q G L U U C A L E N D A R I P
Q S P E A K E R O B B P W Z Y P I E R N
R K T I U W W H H C S T O R A G E K E I
H I O V P U R E C D K M O K K C C K L B
M O U I O P O A O S L S B F O F V N E O
D G C D G W G D N I V S C X F A J E S A
A S H E X L E P T L C H A R G E R Y S I
T U S O H A E H A T J A M I E H E P R C
A T C S E J X O C J Q R W V C E O H U T
P Y R K I B I N T A A X Q N I W N O E P
L R E N Z Y U E S C X X Q P L Z C T S R
A M E O J U U S J A V B C S E N W O W D
N L N Q O C A S E Z K X J V P I U S I O
B Y E S B W B X Z N W U C A M E R A P F
M B P V R V V Y S Z P W X C W X A N E H
R P K S I L E N T M O D E B F G I R A W
A P A S S C O D E M C D L E T Z U M V K
M Y C U D O X W Y R Z X G U S Q C H O B
```

APPS	CLOUD	PASSCODE	SWIPE
CALENDAR	CONTACTS	PHOTOS	TEXTING
CAMERA	DATA PLAN	SILENT MODE	TOUCH SCREEN
CASE	HEADPHONES	SPEAKER	VIDEOS
CHARGER	LOCK SCREEN	STORAGE	WIRELESS

YOU!

```
S M I L E Z T V I H H A N D S A A C B O
Q M C W G P S O F W K X O Y A U F F K F
L M O F M Z O A E E Y E S F V U A G O T
X D H R A S Q A H S G Y J T I A C E C E
V T J H L K F Q A Z K V X X D N E L G E
U J S B L P U G I T G T F T W L G M Z T
F T L Q N K I B F S Q L J R F J B E H H
A C W H T Y I X E M Q O F D F O R J R Y
B N O Q Q R N E E G U C V G C W X M K S
J A N D T G Y T C X V H S X E C I X B K
H I Z P I W V X C K L P E T D D Y D K P
G L N M H A W N Q Q J F C I O M S J H H
B S L E G S B W U F N J H B G M B E H A
J M B R P E E V X E W Y E A Y H A B L I
S R K B O J B N W E A F A N N X T C A R
M L A U G H U M A T M K D O O Q D H H A
R F X U T C X U F N V Y A D S S Y C S R
T W Q U S A C T J D X E Y W E O F I X M
X L O U K Q B A C K Y C J E A R S E Y S
P M Q J G F G L I G J Z K R T G Z V S N
```

ARMS	FEET	HEIGHT	NOSE
BACK	FINGERS	LAUGH	SMILE
EARS	HAIR	LEGS	STOMACH
EYES	HANDS	MOUTH	TEETH
FACE	HEAD	NAILS	TOES

FRIDAY NIGHT LIGHTS

```
C V W Z T C M I Y O K R U I R B T O B Q
O E E J D H W H I T E B L H H W V Y L X
U H A W A I I A N J X U K C E J X C N V
N B I U Z S W Y A Q O D T M S E S O Y S
T S M W Z G M B P Q V A I E D E E B R F
R G X B N N A Z W A M U M I I I N R V V
Y X O J K T B G V S U E A R R S E P E O
I S P E H P L W I J H J O E B T D B K H
P I P R T A Y M T T V T T F E U W X D X
A N A X O N O Y W Q C H V R T D H N R J
T G J H U C O F P I G R I I N E I W A E
B I S G C A I M V U T W E D X N T Y F R
N N B J H K V G A U A X K A E T E E R S
T G I O D E C L D R N O H Y A S B L I E
E C G M O S O U M T Y R N N W E L L E Y
O H N X W O S J D A T A K I A C U I N Q
G A P P N C T V A P Q N M G B T E N D H
E N F H S I U P I R F G C H N I W G S E
U T Y J Z A M Y R Z B E H T X O T V S N
V S F P K L E M U K A I Q S B N Z K F M
```

CHANTS	LAUGHTER	STUDENT SECTION
COSTUME	MISMATCH	THEMES
COUNTRY	NEON	TOUCHDOWNS
FRIDAY NIGHTS	ORANGE	VICTORIES
FRIENDS	PANCAKE SOCIAL	WHITE
HAWAIIAN	RED WHITE BLUE	YELLING
JERSEY	SINGING	

ZOO ANIMALS

```
W A V R C L T K H F F U J R Q M H A V S
G Q G Q I A G K L P R U Z S C R I Q R S
Z H N J K A P G S E O O E H U S G E R O
H P V R G X S K K V G F F G R E G E P Q
J G E S C F O W N S S R F O N I S T C Y
O E P L R L R N B P Y L K T T U L V B T
M E J O D A A X L I O N U M U W M X W Q
E O M T J M N L R H I N O C E R O S P E
S S B H Z I G E H B F O M N G R Z X P G
F U A J W N U M F D F M O K B I R D Q E
N L M U Y G T U Z H Q H H I F O R D M L
H V O P Z O A R H E T T Z J E X T G N E
C L N T E R N M L Y J D F W E X M N P
A U K O B B O U P G U I F X O F Y N C H
A T E R R K S P J O N A T Y D F S F V A
L U Y T A Z T A U R R W C E P U L Z U N
S H P O A Y R N Q I S P L R Y L O C D T
L P T I R T I D G L P Y J Y H X R E A H
G J V S N G C A T L B S Z P E N G U I N
K Z B E A R H N Y A Y U W T Z A L E X G
```

BIRD	GORILLA	ORANGUTAN	RHINOCEROS
ELEPHANT	LEMUR	OSTRICH	SLOTH
FLAMINGO	LION	PANDA	TIGERS
FROGS	MEERKAT	PENGUIN	TORTOISE
GIRAFFE	MONKEY	PYTHON	ZEBRA

BOOKS THAT HAVE BEEN BANNED

```
Z N I X B O N F E A F I I P G B K P I J
C W N N Q A U V P R O N C S B I R E T Y
U P W A E S U Z B E E T R K F B Y R J B
T E R B A T T Q O O P E S Q O L J S P J
U Y S B C S H H Y P K R H U Y E W E Z K
I T N N Q U A C S A L E R T T X T P S W
W O A S O H L B T G A S T H I A G O S R
L N Y C O I I Y G I J T M E Q I T L C P
J P M Y L G A R Y T J N C S Q I V I A B
E L N A O M E T D I A K H T W D E S N A
J A Q E L S W T F C J J Q U F M V S D J
L C U F I V V U J A K Z Q D N L R J I T
M E N Q T L O R D H O R R O R D M W D H
E Y P U A B W H E H I M S E L F A S E E
H L R R U N I Q T H E D A R K S A U C M
L H Z A V I N J Q G I Q V Q N S G K J A
L Z F N G X X Q S P Y C A T C H E R C R
H O W L F P F E C Z D J T G Z G Z H P T
N M G H Q J Q N A R E E U L Y S S E S Y
A N G R Y U S V H Z P P X Q X S U D N R
```

ANGRY	HOWL	NAREE	THALIA
AREOPAGITICA	INTEREST	PERSEPOLIS	THE DARK
BIBLE	LAJJA	PEYTON PLACE	THE MARTYR
CANDIDE	LOLITA	QURAN	THE STUD
HE HIMSELF	LORD HORROR	SPYCATCHER	ULYSSES

YOU ARE SO...

```
N Q X D L C M H U A B F U H Z V Z R G P
W B H P H S H A P E L Y R I C E S F F O
V W F R E A V A J U D C S O V I W T X G
W R A L I G N Q Q E T E K P A V B D Z N
M E N Y I B Z F A T T R A C T I V E P R
P A C V P G C H J N A X R E S K I N N Y
A D Y B D D J P L U M P S Y T L D B D E
V G F D D L X S M H Y B Q G P W L R M I
P D L O S T O C K Y E E L L T T U O A Z
D Z G A M A G N I F I C E N T Y S L S B
S Y Z Z M T D A Z Z L I N G Z D Y B Z A
P D C G K O E U O M F Q K G N P V X X B
E P Z U X M R I F J O Q X A M G Z G C A
H B Z T C V I O Z A Q T H W K E P G M L
L P P D E A V I U F E Y E U Z A L P Y D
B M U S C U L A R S C H R L K T A L U C
Z A X D T Y P D J E X T C I T I I E E L
N B G B E A U T I F U L M H N N N K W E
F I T V G O R G E O U S Q B X J E D S A
J X G E L E G A N T A S C R U F F Y V N
```

ATTRACTIVE	DRAB	GORGEOUS	PLUMP
BALD	ELEGANT	HANDSOME	SCRUFFY
BEAUTIFUL	FANCY	MAGNIFICENT	SHAPELY
CLEAN	FIT	MUSCULAR	SKINNY
DAZZLING	GLAMOROUS	PLAIN	STOCKY

PHONETIC ALPHABET

```
T F W H C T P Z R D I W C X O X C V P L
N Z D G H J E J R K H I P W Q Y Y C G C
K H M Z A N C G T K A P T J M K N X N A
P L C H R D H W P R N P U D U R L P V H
I W C K L B O L R N O V E M B E R I I I
Q E S J I W K E Q W T R K Z H Q Q K K G
O E S A E L I Q B T C A T P F U M Y P L
K H P W Q S L D E Y V P T C Z E T C K Q
G B Z V J C C I E N I B W Q I B E D R F
M O E L P R L P M L T L L S N E K G B J
N F L M T U O H Z O T B V N D C R O F H
J F M F J V J M C G B A Z Q I W U M F B
Q O T Y I Z A V E G Y L R I A F G G O H
O X G K Y B R A V O V A N K X G M E O
R T X E G X C P W B U Q P A P A X I B T
P R V Z Z V H U W D K K V E R E K K E
J O W T A N B C I P K O I H K E O E D L
T T H J E L X N J Y M B L K J I A L F A
M L T A N G O R F Z C L O Y U O S C A R
N M L W V T F L I M A B F U J O I U R R
```

ALFA	FOXTROT	KILO	PAPA
BRAVO	GOLF	LIMA	QUEBEC
CHARLIE	HOTEL	MIKE	ROMEO
DELTA	INDIA	NOVEMBER	SIERRA
ECHO	JULIETT	OSCAR	TANGO

CATEGORY 5 HURRICANES

```
V T R C R P F J Q X P J N A J F A J W C
W Y B T J Z T K U O S E A G Q E Y B Y A
N H K P N R V Q R S H P M N I V K O P R
D D B H P W U C R K B D A R E L A J A O
F J E B T E N U L Y X B A T Y T M R T L
R R U Y U Q P N D N F M Y F R L Q A S C
R B L S K K B Z H G I I M I T I I Q Y S
P D A J V C E L I A H I Y J O Z C Z W J
N U H W Y V D Q W J Z M C F G D P I C E
W N K L E M A L G F T T A M P I C O A M
I I F G Z K H U N G R M G D L M H E C I
L M W A A G S W M W I O T L X O Z D H L
L C N L V D T T X R R G S L I W E I A I
A P A O W A V W S L E H A B F A E T T A
T W K R V C N F I W R M K Z A L C H T P
L Z J C L D T I Z I Z Q Q Q L D U M I A
N A F B Y A T K T T X H I I F N B U E S
K B N T E E S V A A O N M W Z D A W A P
H A E E W T K I R M J A U S I Y Q Z R A
X V U D A R Q G A N C J Y H E R N A N X
```

ANITA	CELIA	HATTIE	PATRICIA
BEULAH	CUBA	HERNAN	PATSY
CAMILLE	EDITH	JANET	TAMPICO
CARLA	EMILIA	LANE	WALAKA
CAROL	GILMA	MARIE	WILLA

HOMOPHONES 1

```
G Q G S J B O X L D E X S F T O E X Z Z
F H N C F H E G Z R H A D N T L R A H F
V S H Y C Y E U Z Y C G B F T H T O H X
Z Q A H D T Y C S D A Y S A B S A N I E
L S S I F F P J C L D K E S U P V J U Y
Y A T D V J O M M F R F P L T J A S W Y
C L B E U G U D W L Q P E X B E X L U V
B L Z Y E G V P Y E F L Z E Y N A Y E P
L O H Z Q L M Q L E O V V D S T B L O V
D W O B C Z A A C B S T U N V H X Y E A
S E B V R W K T I J M O B W V O F A N Y
M D T N E E F Z D L L E S A O T W R D B
F R N O E V Z C E A U A L D J H E C C W
L L S P I Z G Q X E W O L H I W G I F E
L G J K Z O P X W Z S J G P O X K B L F
V P I P A I L I V S L Q G L F A W U E E
X R H O G E L D K E C M F Y E L Z C A E
C S M A L E W A V M E L B P H M O B I T
M V V W Y R J Z U E E S E A M M Z U Y D
Y E D S O F E E S Y W T B U K W P R R I
```

ALLOWED	FEET	MAIL	PEEK
ALOUD	FLEA	MALE	SEAM
DAYS	FLEE	PAIL	SEEM
DAZE	FLOUR	PALE	STEAL
FEAT	FLOWER	PEAK	STEEL

GREEK GODS

```
H R N S T J G B N G Z W Q L N L S A D J
A A U P I G A A S Z H N M F M U B V B F
H E Q I U A H O S O Q W O O T F X S C A
T T J G I N I X R B S G V S B V U M C E
M H M G L L S L E U S F E X Q N N A Q W
O E J H E B W W N U R A N B O R G K E J
M R Q H L X K A E J H J W R P O Z S E K
U S P N C K R H P R V C O L B P U B L
S B S Y Q U T I E O R X Y N U M E R O S
X Z E B F E T H D L L A X Z T D R W O L
H Z E K M S T D X W H L D H U Z T T W U
Z W Z O A B P B Q Z Z S O Y S R A H Z G
K U R O O A S C L E P I U S G R W R X I
X P C Z C Z R N B V R Z N G K A R H V D
M T Q C U L S S U E B D I O N Y S U S Y
C L A E C A G Z E U S X I F H P J Q C E
E K E C L M A H E R M E S H Y P N O S I
E K Z T J U X Q T M M O R P H E U S A G
I J A P Y R V X C R I U S A R E S Z K X
A X T P P T L T R J K M X Z E Y U J E V
```

AETHER	CRIUS	HEPHAESTUS	MORPHEUS
APOLLO	CRONUS	HERMES	PLUTUS
ARES	DIONYSUS	HYPNOS	PROMETHEUS
ASCLEPIUS	EROS	KRATOS	URANUS
ATLAS	HELIOS	MOMUS	ZEUS

LIST OF BERRIES

```
B S S P M S M K K B Y T R N V E M C R O
I B G H Y C L O U D B E R R Y U L Q T O
L A G C L J B L U E B E R R Y V J B Q A
B R O I E L D E R B E R R Y I B L B L R
E B J Y L H W E R J A P P W J H S T B E
R E I P N N W W H E M U M I B C W C O I
R R M S Z R X H Z V F D M A L F O R Y E
Y R F V D L V C I A C A I P A P C A S H
V Y Y O U N G B E R R Y V J C M F N E G
E H G S U M I B C G B K U G K N A B N L
Q L I X I O D O A O L P C D B Y F E B I
H S O A B R I N J F T O L X E C W R E N
M I Y R G Y L O G A N B E R R Y T R R G
I W I N E B E R R Y V B B G R H J Y R O
T T A Y B E R R Y N T K U U Y S V W Y N
X S O S T R A W B E R R Y P D L H U N B
S A L M O N B E R R Y D E F W T G B E E
K I V W N V D P Y A T G R A P E E Q J R
X O X K G O O S E B E R R Y X P X T K R
J X G F S V B R A M B L E S G H L E T Y
```

ACAI	BOYSENBERRY	GOJI	SALMONBERRY
BARBERRY	BRAMBLES	GOOSEBERRY	STRAWBERRY
BILBERRY	CLOUDBERRY	GRAPE	TAYBERRY
BLACKBERRY	CRANBERRY	LINGONBERRY	WINEBERRY
BLUEBERRY	ELDERBERRY	LOGANBERRY	YOUNGBERRY

OCEANS AND SEAS

```
B M V M L N G P B S V N O R T H V U C L
E S W Q B H P P Q H A D K S V N P M W B
A O L P S A L T O N L C F Y A C A M S Q
U S T Y E D X F Y F Z M G E B A B R L F
F Y X C M O U A T O F N N Y E S I U A T
O Y V A R V D A M X X A S T X P X C U L
R N B R A K V G Z L R R T N W I Y A N C
T G D I Q E N F K R L M C P K A Q J C G
A K D B T I I C E Z S S R O L N M I W U
L X C B R V A T L O M O O S T H T E C T
N T E E H L I E L U C A U K Q C N C U P
V F B A B D B R P S U P L T R Y I E B U
B Q T N E E J X P R A Z M A H F N N L T
H C Y M Y B B C U L K T H Y I E F H B W
C S A R A B I A N Q N U L C B Y R N U D
D I J B U R C Z L U I F A A S X A N T E
A D R I A T I C S T Y P Z S N I W L F A
S C O R A L X H R A I B B Z D T G P D D
E M U A V R E D E Y K C S N A V I O X J
D T R B J N O D J K E P I Z N O U C V B
```

ADRIATIC	BALTIC	CASPIAN	NORTH
ARABIAN	BEAUFORT	CORAL	PACIFIC
ARAL	BERING	DEAD	RED
ARCTIC	BLACK	INDIAN	SALTON
ATLANTIC	CARIBBEAN	MEDITERRANEAN	SOUTHERN

ZODIAC SIGNS

```
C M J B Q Q L I B R A Y A X H C M Z R Z
A U L M E S O P O T A M I A S J N D W V
N O G O S D V S V K C G J T V T N B H I
C T T Z N D S P C M E L S K A O O H P R
E K V X T P A T G E C B T U I U G K P G
R F L K A F Z T A V L H R T Y S R R P O
A P I S C E S H E R X E A G Z P A U X D
U U A P H H E S H S S L S L R N L X S M
A Q U A R I U S T J L H M T U E Y G W N
I I T A R I E S G E T Q Y L I A H L H L
R R W Q R K G D T S A G I T T A R I U S
O R Y E Z B F S X C L J T I Z S L S M H
D I V Z H H N I L B I E I Z M C W S M D
G B T B D O X I E C A P R I C O R N K O
M W Q Z C D A V O C X O A T C R U C N D
G E M I N I X I U D U H H L P P D D F O
N M W F K V X T U V O P D T C I B U L F
Y P L G Z A S T R O L O G Y J O V B V G
O W T Y M W B P H O R O S C O P E W Y J
Q T X K F E R O I J L J O J L B K W G O
```

AQUARIUS
ARIES
ASTROLOGY
CANCER
CAPRICORN

CELESTIAL
CONSTELLATION
DATES
GEMINI
HOROSCOPE

LEO
LIBRA
LUNAR
MESOPOTAMIA
PISCES

SAGITTARIUS
SCORPIO
STARS
TAURUS
VIRGO

BATH TIME

```
L O O F A H W F U U R J P B W W P L L T
R M P G U W T Y B A T H B O M B E W W B
B L Y V L B O L R V W N G F M L W I K A
O G S E E U L O A V I G B N O U A W G T
D J U N B F H N G C D P J Y T Y S T V H
Y W Q S W U V R G C A Z M M X C H N G T
W M Y N Z P B S L I P P E R S A C T D U
A R H L A O L B Q J G S E V A N L M O B
S K B A T H S A L T S U X J N D O D V B
H F M R H S Q T K E Z W R O R L T W I R
B S D K W S H K D U B Q P E U E H I H A
O M C D A B O V L A P A Y U L S C N U Y
R O O G L O Z P A R O G T K I A Y E V T
D M Z B B D C P K L L L M H K L X Z F O
S G Y B W Y F L U F F Y T O W E L I J G
Z L R C K S H T B A T H P I L L O W N N
N O O U U C M B A T H O I L M M F Z R G
G P B F X R R D L D O D E S T R E S S E
G M E B R U B B E R D U C K M B C G I A
L P X U E B O S Q A V X U C V S O A P C
```

BATH BOMB	BODY SCRUB	COZY ROBE	RUBBER DUCK
BATH OIL	BODY WASH	DE-STRESS	SLIPPERS
BATH PILLOW	BOOK	FLUFFY TOWEL	SOAP
BATH SALTS	BUBBLE BATH	LOOFAH	WASHCLOTH
BATHTUB TRAY	CANDLES	RELAXING	WINE

WHAT'S YOUR HOBBY?

```
M D S L U Z C J U C R A F T I N G S Q Y
T I F M Y Z G B U Q A J E G J K Q Z H R
M P J O B C K Y W P H A B Y S M M P Y E
Q H T G J L S S K M C I U C I K A B G A
B Z X E Q V B C I V W A R E V R I W F D
E S I M Q N K O Z N L F R Y G G Z I D I
O C F B U C D L J G G B Y I L W B A N N
E R I R I P L L Y Y X I L D E I I R H G
V A T O V W B E K O O L N H G N R X V A
H P N I A V N C D E A G W G J E D R F U
Z B E D R C D T P C Z T A Q Z T W O Y Y
S O S E T J I I P U Z Z L E S A A A A N
Q O S R X K E N B C O I N L X S T D U D
U K D Y M A D G R R M Q I L G T C T X M
I I Y V J L M Y L Q A V E R M I H R Z L
L N J E W E L R Y M A K I N G N I I M R
T G B Y I S C U B A K I B U P G N P H L
I K A Z U E D L L M A C R A M E G S V I
N N C B C O L O R I N G P O U K E F J Q
G H G P J T H L G U O B A K I N G F Q M
```

BAKING	CRAFTING	PUZZLES	SCUBA
BIRDWATCHING	EMBROIDERY	QUILTING	SINGING
CALLIGRAPHY	FITNESS	READING	SKIING
COLLECTING	JEWELRY MAKING	ROAD TRIPS	WINE TASTING
COLORING	MACRAMÉ	SCRAPBOOKING	YOGA

TYPES OF TREES 2

```
F D D Q L C E D A R L C D A O Z S N Z U
K T Q B A G N F E B I A M K N S K S R S
X U M O Q Q H B H S F P I F E F B O E W
H L M H A C K B E R R Y F R W X K W P E
N I S Z T P C L T W A A P D Z N O V E C
X P G Q Z P X A Q F H Y W H P L A Z N R
T P U R C K M M D T C T K Y L Q S D X E
W O N M J S M X K F H L R I G C P O U P
T P F R U B B E R J C R W C S E E U S E
E L K W A L N U T J E G J A I N N G J M
U A S C G N Y F E H N C C C L R Q L E Y
C R J W J E W R C I M I T A V J D A A R
A G T X C V B O P P D O A O E O N S V T
L I D O J J N E E X S R Z D R U V F P L
Y N X K O I E K B O K A S K B Y W I A E
P K X A H W C J C S F O O U I L K R L I
T G N S B C O C O N U T J I R J P K M K
U O O B V E P H G Q D C K L C C I A S H
S Y I Y A Z X N N Y U R Y O H B P I N E
R E D W O O D X N R O K S D O H G R S J
```

ASH	CREPE MYRTLE	HACKBERRY	SILVER BIRCH
ASPEN	CYPRESS	PALM	TULIP POPLAR
CACAO	DOUGLAS FIR	PINE	WALNUT
CEDAR	EUCALYPTUS	REDWOOD	WEEPING WILLOW
COCONUT	GINKGO	RUBBER	YOSHINO CHERRY

BEACHCOMBING

Puzzle #194

```
J W L F B F T Q R C O N C H S H E L L I I
T B I V U X M Z Z A Q X E N D M X H H N
X O S E A G L A S S D S S U R F C R A B
S S A N D D O L L A R O F E S R R L E H
E E K J D I K W R U C G M E I R L C Q V
A K R H S U S S P L N L N S T E A R Y K
U T A M R U N S L I L O W E H M E Z Z Z
R L N W C L D E T E C E L S L H N S O W
C D A A A I H T H E X B P B T V R A B M
H G Y F A S E S N B R O D A L U E N T A
I F S M E N P O H A L L E P V Q C D L B
N J R N B I M S M L C F X A V E M P X A
C E O C L E I A A T U U H X P C L I S L
M C B U N F E C Y P L M T Y R I X P S O
Y C T A R S S Z Z I V R X D N E F E E N
B J S A F I S H I N G F L O A T T R K E
F X T S H F M J B C D G X S E A W E E D
Y S Y O C E M V A X Q Q M S L Y A J T O
Y C L A M S H E L L Z V J F K G F Y S X
A B K R G P D R I F T W O O D R Z Z C B
```

ABALONE
ANEMONE CONES
CLAM SHELL
CONCH SHELL
CONE SHELL
DRIFTWOOD
FEATHER
FISHING FLOAT
MERMAID'S PURSE
NETTING
SAND DOLLAR
SANDPIPER
SCALLOP SHELL
SEA GLASS
SEA MARBLE
SEA URCHIN
SEAWEED
STARFISH
SURF CRAB
TULIP SHELL

LET'S BAKE SOMETHING

```
U Z S Q I A L C A O C P L L Y M V B G W
J I E I C O O H G I D E G P I I R T A X
M E Q T L T L O C W K C C B B W I H M R
E Z G R C E X C I C L A I U P Q E N A T
A S C Q O A L O O A M N N N V V X G O I
S M O K O S R L X K O S N D X O U E B S
U A C J K P B A C E E T A T X S Q W V S
R Y O F I O R T S P B Q M P K U N T R S
I U A F E O O E F A E Y O A H I L E M T
N I P D C N W C M N N O N N P D N S S L
G Z O V U L N H I X F Q D G S I X V G H
C O W G T L S I X Q J L N I L O B E M W
U S D Q T V U P E L S I O E R S Z V C A
P G E J E O G S R E L M K U I K A N U Z
V M R H R F A L Y L Z A G J R U E L V P
Y W J O F S R C O F C R X Q Y Q O E T T
L T P K M U A R I P T A B L E S P O O N
C R D W X I T G U T R V A N I L L A T H
C H F F Y K N C D V F Q S B U T T E R P
S B A K I N G P O W D E R A W A U Y Y W
```

BAKING POWDER	CHOCOLATE CHIPS	FLOUR	SALT
BROWN SUGAR	CINNAMON	MEASURING CUP	SUGAR
BUNDT PAN	COCOA POWDER	MIXER	TABLESPOON
BUTTER	COOKIE CUTTER	PECANS	TEASPOON
CAKE PAN	CUPCAKE LINERS	ROLLING PIN	VANILLA

GET CRAFTY

```
Z K G Z W Y A R N N Z M B A F F P E D J
A U D O Z A O R C F M B E A D S A H X Y
T U Z C R A F T P A P E R Q Z M Q R H O
W G F D U Y N O E I M J Q N Q C I Y K D
Y P U Y Q C V U K R G X Z E U F P E D I
S A V A C T L Q T W T S P W H W H F B E
E I Y B R G O K V X C A R D S T O C K C
Q N X R Y A D F K K T Q E Q F G J O Z U
U T W U Y X M X O I L O K Z H R J S Z T
I I Y S C A T A H Y D R I B B O N R P G
N O M H F M E S M Z D B P K K D D F F T
S L Y E O X A C T O K N I F E C A I E L
Z V Y S D W L S T E N C I L S Z M H L Q
B X E K G L I T T E R L T Q E Y P W T Z
N P O M P O M S J S Z J B O U W Y B Y E
R U J P A W S T I C K E R S Z E N O D B
F L O R A L W I R E B I T G X A O P W G
E U M A R K E R S G W S C I S S O R S G
X O F N D Y J L Q T C K V T L T W Y F W
L M T G G V R J T H L N E P O X X Y L J
```

BEADS	FELT	PAINT	STENCILS
BRUSHES	FLORAL WIRE	POM POMS	STICKERS
CARDSTOCK	GLITTER	RIBBON	WASHI TAPE
CRAFT PAPER	GLUE	SCISSORS	XACTO KNIFE
DIE CUT	MARKERS	SEQUINS	YARN

THEY COME IN PAIRS

```
S O C K S P C I Z J C M T S Z J T K S K
H A C E Q N B W I N G S M G N M A L S Q
K F G A I L P S K A T E S P T P B A C Z
D B P R L O D K K G F T Q L Q G B M I L
I I S R O L X N E L A A S I F P E L S L
Y N A I W I N I E A J R S E R A G U S S
K O L N S T L T M S V S H R U U L Q O F
P C T G S C R T R S Y S O S B N O Y R A
I U A S L H X I C E O N E A U C V B S J
I L N J I P N N C S B M S C F T E O T R
A A D Z P C I G O K E V W M W S S O W R
H R P M P H L N Y R I J B L P S M K I S
I S E F E O M E O F O R I O Y Y I E N T
R K P Y R P X E W I A I L K T V T N S I
S Z P B S S Z D B A U F O V P U T D D R
F S E W W T U L R M P M E Y E I E S Q R
A M R R L I K E B I F E W V F A N A H U
Z X H R T C P S L S P A N T S C S R E P
Y X D I P K H F O X S E Q K G T T J V S
Y W N O N S N Q Z Q W M E J C Y M S M B
```

BINOCULARS	GLASSES	PLIERS	SLIPPERS
BOOKENDS	GLOVES	SALT AND PEPPER	SOCKS
CHOPSTICKS	KNITTING NEEDLES	SCISSORS	STIRRUPS
EARRINGS	MITTENS	SHOES	TWINS
FLIP FLOPS	PANTS	SKATES	WINGS

IT'S RAINING CATS AND DOGS!

```
G J R W Z R Q J Z J F R Q K T U R S K B
O M H D W E L S H C O R G I V B P Z D R
L V S S R K B J B D C Q B X F Q E O B M
D P K C J W J F A J M T T I I H J O B F
E M C Y T S I R B G A O U S Y J T M F L
N B C G B W B W U Z I R R C Y S Z U R R
R O K V F A H C H Z N T K X B G U N E A
E G N W L F X X B D E O I E X R H C N G
T T W C A R J E I A C I S O L E M H C A
R A Z C Q U I D C L O S H I L A J K H M
I B P A E S T A H M O E A I B T E I B U
E B K W K S Z I O A N S N B K D C N U F
V Y C H S I Z H N T W H G E L A L V L F
E R O I H A S A F I N E O R V N O O L I
R B N P E N C V R A R L R N M E S B D N
M W F P P B Q A I N Q L A E W A G T O Q
Q Z O E H L V N S Z Z J R S Q Y A I G P
V E V T E U W E E B E G B E A H Q G J V
U D L G R E Q S B O M B A Y W Q T J A P
J V R E D B O E H X K C A L I C O O S Z
```

BERNESE	GREAT DANE	SHEPHERD
BICHON FRISE	HAVANESE	TABBY
BOMBAY	LABRADOR	TORTOISESHELL
CALICO	MAINE COON	TURKISH ANGORA
DALMATIAN	MUNCHKIN	WELSH CORGI
FRENCH BULLDOG	RAGAMUFFIN	WHIPPET
GOLDEN RETRIEVER	RUSSIAN BLUE	

GREEN WITH ENVY

```
U C X Y S Y O T B L U E G R E E N D S U
K Y Z S A X N W F O K P S E A F O A M X
N O L B G O E O L J T X B D E B E Q K D
Z I H B E Q T S W J J T B K I M I U H G
R Q A P P L E G R E E N L D O N X T L Z
N I N Y Z Z P H S I F O J E H O Z J K Q
Q Q T V M O X T L M O L T W G Q F K B K
A W Q U H W A L U R R I E X E R S E U E
A Q U A M A R I N E E V G A M D E D F L
E J A D E R S A S M S E O G E M Z E H L
H Z A S B U P G O O T H X Z R O M C N Y
C H A R T R E U S E G P K P A B Y E C G
V O D D M E G G G K R E I E L F U L I R
Z X Y U P I N E G R E E N S D P Q A T E
M I N T G R E E N V E N K H T G T D R E
D X R X L A R I E Y N O N D I A Z O O N
L I M E G R E E N J U I I Y I R C N N V
Y C D H Y O O Z T U H V C Z S B I H C S
J C J M W C A V O C A D O L A D Q Y I U
D P R Z D G R A S S G R E E N K R X K O
```

APPLE GREEN	CELADON	GRASS GREEN	OLIVE
AQUAMARINE	CHARTREUSE	JADE	PINE GREEN
AVOCADO	CITRON	KELLY GREEN	PISTACHIO
BLUE GREEN	EMERALD	LIME GREEN	SAGE
BOTTLE GREEN	FOREST GREEN	MINT GREEN	SEAFOAM

FEELING BLUE

```
R P B J H V I F C E R U L E A N M D H S
K N X N I P R U C Q G E J Z Q B E U T P
I C R W I A U L A P I S L A Z U L I T O
A S X P X C Y J F G M M V O T G S U U H
R L C O R N F L O W E R G R P E V B R P
S P F R A M S M Z V Y I T L T E A L Q X
B T V C K C Y A N U D C S S K Y B L U E
P W I F D Z P V J N Y R E U Q K T I O C
K S H N I Y X Y I J O E I G N B E C I U
R T Z C A R O L I N A B L U E U S O S L
U T N C O B A L T B L U E R L E L I E T
F E H L Q C Z I I O N N P B U E A T O R
F P N R O Y A L B L U E T L U T T J P A
X A A J L A O Z H G V H B M L I E B E M
B D V G R L V E O F G T I C E S B Z V A
R R Y Q L F D H D I E N A D C D L C E R
P E A Z U R E W N D E T S O I G U K N I
T P Z P O B P D A D J U X V G V E I H N
U N Y S Z T I C F S A P P H I R E J E E
F H J H H M B A B Y B L U E Y Z U A O E
```

AZURE	COBALT BLUE	LAPIS LAZULI	SKY BLUE
BABY BLUE	CORNFLOWER	MIDNIGHT BLUE	SLATE BLUE
CADET BLUE	CYAN	NAVY	TEAL
CAROLINA BLUE	DENIM	ROYAL BLUE	TURQUOISE
CERULEAN	INDIGO	SAPPHIRE	ULTRAMARINE

GAME NIGHT!

```
U A Q G V W U T J Y U L S H L L Y E E H
F K T X F I W F F D Q E Q P H B C I U S
S T R A T E G Y J O C M X P R O C D V N
D Y B G N I J E B E N Q J T B A I L W D
E Z A P M N A F I I B G Y D Z R H A D P
C C N E X F E P T E N N E S V D P J I L
K F K J X M I L K U B L H B R G K K C A
F E E X O F M T L J B O W V M A A F E Y
E M R F D N F H N A M G T Y G M I Z E E
S B I G N V K A T J D Y B L F E V D Z R
M D B A H S T N M Y H I T E A M J U Q S
J L Z Z D A E I R I N D S I W M T N Q F
X B V R J H P J M A L L W C F C V R V G
M D A C C I Q Y Z E L Y B Y A A N U R Y
I C D T O E B B J P R E N Q N R C L G I
U X I E G B B U B S F C X H A N D E E V
Z K V F P A B U G D E A L E R Q P S G L
Q S N D R A W Z K H D T O B W I N N E R
S D G B G I L Z T P Y B R T G G Q P K P
R Z Q T M V E Q T H T M M O V E S U P K
```

BANKER	DICE	KITCHEN TABLE	RULES
BOARD GAME	DISCARD	MOVE	STRATEGY
CARDS	DRAW	PAWN	TEAM
DEALER	FAMILY	PIECES	TIMER
DECK	HAND	PLAYERS	WINNER

THAT'S QUITE A COLLECTION

Puzzle #202

```
D K B L Y D I C A L H O S L H A T A V U
I C H V L I L Q C D W E A H R P Q A A N
Z Z V E C M A P S Q H A N G S O U N K D
H K N C Z Y J T L C I G M K D L D T Q O
B I W O W L F E T A D T R G C E V I D L
W G T M Q I H A W S I H S U L V S Q K L
K S F I D M W P S Z G A X T S K E U R S
J T S C G O O O V P R Y T L C S A E B T
C A B B N R G T Z W O D K O L C S S X Z
A M R O B Q D S A G M O L R T O H R H V
M P T O I H M J G Z F C N R T I E C A S
E S O K B O V L H H A V D S Z N L N W W
R Z I S R P H S J W N I F V B S L R F L
A A P O T H E C A R Y J A R S W S T B D
S L I Z M G A R R O W H E A D S M F H U
H C Q L A J E W E L R Y E P M T Q M D X
M M I L K G L A S S B S O T F H O W G C
G F J B R U B A S E B A L L C A R D S U
J Z S U N G L A S S E S S A K L U U D D
K M X J B I R D H O U S E S E Q D E M J
```

ANTIQUES
APOTHECARY JARS
ARROWHEADS
BASEBALL CARDS
BIRD HOUSES
CAMERAS
CLOCKS

COINS
COMIC BOOKS
DOLLS
JEWELRY
MAPS
MILK GLASS
SEASHELLS

SPOONS
STAMPS
SUNGLASSES
TEAPOTS
WATCHES
WINE

SPRING CLEANING

```
C S D Y W S V J O S L O C Y D F V K I Q
L W U I A Z X H V Y Q R L O W L C S Y R
E A S H S V D V E G I G E R H I L H E M
A S T C H T E B X S D A A G Z P E A G M
N H B O B K C D V W L N N A O M A M E E
S C L N E S L U D E D I O N P A N P W V
H U I F D C U S X E B Z V I O T R O L X
O R N J D R T T S P W E E Z L T E O B B
W T D Z I U T F K F I C N E I R F C O M
E A S G N B E U H I N L F C S E R A T O
R I Z P G G R R H R D O B A H S I R Q P
H N T G K R R N M E O S T B S S G P X F
E S D O Y O H I Y P W E U I I D E E X L
A F K N C U R T O L S T Q N L K R T K O
D R V W T T E U B A B S G E V V A S R O
P E E C C Q W R S C T K Z T E H T R Y R
J M M X D K H E X E C W H S R M O Y I S
W D U S T C E I L I N G F A N S R B E Q
C J U T Y X W I P E B A S E B O A R D S
X G G S W E E P C O B W E B S C X H J X
```

CLEAN OVEN
CLEAN REFRIGERATOR
CLEAN SHOWERHEAD
DECLUTTER
DUST BLINDS
DUST CEILING FANS
DUST FURNITURE

FLIP MATTRESS
MOP FLOORS
ORGANIZE CABINETS
ORGANIZE CLOSETS
POLISH SILVER
SCRUB GROUT
SHAMPOO CARPETS

SWEEP COBWEBS
SWEEP FIREPLACE
WASH BEDDING
WASH CURTAINS
WINDOWS
WIPE BASEBOARDS

IN THE GARDEN

```
D D F C J D V T O H Y B M R X S M X V G
B I V Q M R P I U K B A E A K I B B A M
U F J E A F M S Q S N N X I P A E I O M
T P R G R J V D Q M N A K C D L G D C A
T G V N I G F Y R C Q N V U U A O T T D
E Q J O G E N U K X C A Y Y T V N Q Y D
R N Z M O R J Y A N N P C G M E I L T J
F Q A E L A I Q I V N E L R D N A D O C
L W M R D N Y G H D X P O E H D D A M W
I S U J S I T D N Q S P Z G P E Z I A J
E A L H V U O I G I T E B R E R R S T X
S C C R O M E F L N U R U V R H A I O Z
T A H O D E D L P H G S R H C H I E P Q
Z R E C K A E S S Q E E T N L T N S L G
Y R R K T R E A T F B A E X Z S G M A X
L O B S T E I T J M B B C L O T A I N V
X T S P B N T O U D V I H B L I U Q T E
V S U U N J D C R P Z G R R F D G O S C
H A Z I G L U I X U U P R Z L B E V D Q
I Z Z Y K C B Q Y O I C J C E Z M K D L
```

BANANA PEPPERS	CUCUMBER	MULCH
BEES	DAISIES	RAIN GAUGE
BEGONIA	GERANIUM	ROCKS
BENCH	GNOME	TOMATO PLANTS
BIRDBATH	HERBS	TRELLIS
BUTTERFLIES	LAVENDER	ZINNIAS
CARROTS	MARIGOLDS	

HOUSEPLANTS

```
Q A F R I C A N V I O L E T O H P G U R
V W M B D A A I R P L A N T S I J H G N
A P E P E R O M I A R W V B C C J B Q Q
X C C A B D P M A A Y P I J H V W I K K
D S N A K E P L A N T L R H E F I F T S
R A L O E W G L T G Y G E X F T H O Y A
A D D V U K Y Y L K Y S Z C F W E D U H
C A A C R V D P O N Y T A I L P A L M R
A T X B R O M E L I A D W L E M U F M X
E S K A L A N C H O E Q B G R Z A L K M
N C B G Q X Y A O P Y D C Z A P M Q U U
A D C F I D D L E L E A F F I G I P H L
V Q R R T N F W D S P I D E R P L A N T
P H A L A E N O P S I S O R C H I D V V
C R O W N O F T H O R N S V S J C Z U N
K B A O I D W W P H I L O D E N D R O N
G Y T E N G L I S H I V Y K A G B N V V
J Q N Q F W D P E A C E L I L Y X K F R
Y F B P L A A S P A R A G U S F E R N K
W A L K S N J A D E P L A N T T V H J A
```

AFRICAN VIOLET	ENGLISH IVY	PHALAENOPSIS ORCHID
AIR PLANT	FIDDLE LEAF FIG	PHILODENDRON
ALOE	HOYA	PONYTAIL PALM
ASPARAGUS FERN	JADE PLANT	SCHEFFLERA
BROMELIAD	KALANCHOE	SNAKE PLANT
CROWN OF THORNS	PEACE LILY	SPIDER PLANT
DRACAENA	PEPEROMIA	

BUTTERFLIES

```
Y F L K F G E P U R P L E E M P E R O R
O H H T I G E R S W A L L O W T A I L L
T B B C H I M A E R A B I R D W I N G C
O H J M T U K B B R O W N A R G U S T D
A G L A N V I L L E F R I T I L L A R Y
B Z Z D A M B E R P H A N T O M R H S G
A D O N I S B L U E T F C N J V F B A G
Z D E M E R A L D S W A L L O W T A I L
C L M O N A R C H U M Z M X F F U S X W
E F O Y T X Y F T W R I N G L E T V V H
I Z Y R O Z V E S S E X S K I P P E R I
L R B T C K K L S C O T C H A R G U S T
X I G Y B P A I N T E D L A D Y A C X E
C H E Q U E R E D S K I P P E R J Y A A
K O W S H E A T H F R I T I L L A R Y D
A K P B L U E M O R P H O R N P O M X M
E G Y G R E E N H A I R S T R E A K U I
I E E O V P U W R F B V H S Z Z J J B R
X F N Z E B R A S W A L L O W T A I L A
B E V N C E Y L O N R O S E G O O A Z L
```

ADONIS BLUE	EMERALD SWALLOWTAIL	PURPLE EMPEROR
AMBER PHANTOM	ESSEX SKIPPER	RINGLET
BLUE MORPHO	GLANVILLE FRITILLARY	SCOTCH ARGUS
BROWN ARGUS	GREEN HAIRSTREAK	TIGER SWALLOWTAIL
CEYLON ROSE	HEATH FRITILLARY	WHITE ADMIRAL
CHEQUERED SKIPPER	MONARCH	ZEBRA SWALLOWTAIL
CHIMAERA BIRDWING	PAINTED LADY	

"A" MY NAME IS ALICE...

```
I L J E T K N E V E D V U Z X N U J S L
S H N E N W Q G H N L W A R I E L B A E
H N N Z C S U P F A V V M A L V C W J I
A M Q C A J B A N D R E A M V N C H Q H
R A E T Y D C T M C Q Z U Y X F A U F W
I E M F T G L N A U D R E Y A K M Z W W
A N F A A N V I M A G A I A L A A I U X
N Q C A N M H U S T N Y H S Y V Y V T G
N H V U M D E H R I L A C U S R A M E A
A I C S W E A O A M O B N G S B Y C N B
X X X K M I L L B W A N A N A Q I L H I
O E U C R D A I G F A K Y H A L Q H Q G
E A R G S W R L A G U A G U A B X F B A
H G D S K E T L E B B B E M D Q Q E A K I
N J E E S B T I N O R M R B F D U L H L
Q W V P L N X J T J E H M A E V A K L J
K D O H Y I T H A N E F J U U R L B N E
Z S U R L G N A D V K B C U O X E N D T
L B S R Z C A E O C A I C L F S X T M H
H W J Z W C V R K Q K A D E P I A Q R E
```

ABIGAIL	ALYSSA	AMY	ARIANNA
ADELINE	AMANDA	ANA	ARIEL
ALAINA	AMAYA	ANDREA	AUBREE
ALEXA	AMBER	ANNABELLE	AUDREY
ALICE	AMELIA	ANNE	AVA

"AND MY BOYFRIEND'S NAME IS ANDY"

```
A T W Q G V A L L E N P L A E I Q A N U
C L W J A R T H U R U O C V A Z R L L Y
A N B F P C B A B R A H A M N G S V R A
M X Z E L D H L B X Y D S P D I M I O M
I G A S R Z Q E V K W T A A R Q X N K L
R N M A S T H X K V L Q A M E D D O G A
X A X L H Z X A L K Q N F U W Z L P W A
V A R E R I D N Z T N D B O S E M V B R
W L N C Z F G D K W X K E F G T R G O O
W G T Z V N W E D L C R Z N B W I Z J N
U Q M R I A O R Y Y N B A S H B N N D O
O V V A A I D E N D P T S Q E O N X E I
D E C N D A D D C C A X D R L G X J Z H
X E I D E V E S A S Q X X A A R C H E R
D K Z Y S R U W K V A N T H O N Y V C D
Q C O D F C L K S Q S F Y X U M J M K O
V P D L I V O G N B P F E Q R A H A E M
H F A T H I A B M I W Q D H A Q Y A V U
F V T N L E L P G V F X T E R U O Q Y H
A A D Q L I W A A Y F I Q J G C J F M G
```

AARON	ALEC	ALVIN	ANTHONY
ABRAHAM	ALEXANDER	AMIR	ARCHER
ADAM	ALFRED	ANDREW	ARTHUR
AIDEN	ALLEN	ANDY	ATTICUS
ALBERT	ALONZO	ANGELO	AUSTIN

THE Is HAVE IT

```
U F H E G A S I P U B K D S T T Y Q Q X
F F Q J L I D Y L L I C P D Y T G O I Z
J Z F W N A D U M C F L T Z I B P F J M
K Y J W E B C X S C A F L T E Y H T S J
Q J U F I Y U L M C X E N F A X X I G K
P R V H J V O G I E L E G O C L L R K G
G I J J R T Z T P C D Z M E U A E U E Y
E D X V T E N Y I I T N H R E B Z Z T Y
I E Z D M E T C Y I H T U D E W I T R G
R N W U D O I H T V D X I C V M U A K L
A T A I S K T P Z Z I E I K E N R R I M
T I D I T A L I C S H T O T W E Z D D N
E F I X R F H L Z F J L I L N J A U O S
L Y C I B I S O G R A M K I O E B J L R
Y V O E F B Y T E R L W T C Z G P E I B
T Y N K Y U N K Z M Z I E V A E I F Z X
A Z I R O N I C C L I D E A G N L C E C
H R T S C C N Q I S O S C E L E S O A X
L L N N A H A I S I R K U U U A X W R L
T J W C G W G S Y F I D L E N E S S T I
```

ICEBERG	IDENTICAL	IDOLIZE	ISOSCELES
ICICLE	IDENTIFY	IDYLLIC	ISOTYPE
ICON	IDENTITY	IRATELY	ITALICS
IDEA	IDEOLOGICAL	IRONIC	ITEMIZE
IDEALISM	IDLENESS	ISOGRAM	ITINERARY

A ROSE BY ANY OTHER NAME

```
D W M F R A N K L Y S C A R L E T G U W
D N C H E R R Y P A R F A I T Y X W R F
S O L E I L D O R D L V E S G B Y B O Z
S Q P E A C E K D C D S L Q G A R Q S B
I X X U O S A C U Y C Q S P R L O K A V
T D M S E R Y M I L K M A I D L E S M U
M A R D I G R A S S I I C E B E R G U X
Y W L W R E N A I S S A N C E R Y Z N C
B L A Z E T V E Z W Y W U Y S I G Z D D
Q U E E N E L I Z A B E T H Q N T H I L
H M B B I P O G R U S S A N A A C H E N
D O Q T I R O F J A K W N Y Y L E F A G
W N Z R A I N B O W K N O C K O U T B N
R T Z A T A H I T I A N S U N S E T O T
Q E N P S P L K U U S M X W D Y J O U O
R Z C L V M A I D E N S B L U S H C T E
R U K S U N S E T B E A U T Y W B C F K
B M Q E N L P O C I J T G Z U M O Q A V
J A L B Y R C P K M W I R P K W G Y C I
V G B Y A Z G J U L I A C H I L D B E D
```

ABOUT FACE	JULIA CHILD	RAINBOW KNOCKOUT
BALLERINA	MAIDEN'S BLUSH	RENAISSANCE
BLAZE	MARDI GRAS	ROSA MUNDI
CHERRY PARFAIT	MILKMAID	SOLEIL D'OR
FRANKLY SCARLET	MONTEZUMA	SUNSET BEAUTY
GRUSS AN AACHEN	PEACE	TAHITIAN SUNSET
ICEBERG	QUEEN ELIZABETH	

EAT YOUR GREENS

```
E Z M Y I L S Z Z B R E Y F C Q D Y K K
D Y U D I P E A S M Z Y P H W N Z E U W
Y H T S A U L L I M E F O M P Y B Z B A
I Q A V C Z O M L E T T U C E J C I X W
W B C O L L A R D G R E E N S P G W N D
I R E Y K I H T S P R N Z U C C H I N I
K T C E L E R Y S P I N A C H L Z R O B
R X S P U N T E Y P K A R T I C H O K E
Q E M K M C S K Z G S I C K P A G K X G
L U R I N P O A Y R G R A P E S L A C R
M P B R U S S E L S S P R O U T S L N E
J S U G A R S N A P P E A S W S Z E F E
P F A B O D P P X I D Z Q O L S P Q O N
F B I U S X D B H A S P A R A G U S X P
S M Y D V E K I W I O U Z H N V T A I E
G R E E N B E A N S U Y V Z I U R N Q P
Z O Y J Z Y X C F W N Y Z O X I A Y W P
O A V O C A D O B R O C C O L I G G N E
V A X G R A N N Y S M I T H A P P L E R
Y B B B R T N Z W Z T I A T Q W M Q O S
```

ARTICHOKE	COLLARD GREENS	LETTUCE
ASPARAGUS	GRANNY SMITH APPLE	LIME
AVOCADO	GRAPES	PEAS
BASIL	GREEN BEANS	SPINACH
BROCCOLI	GREEN PEPPER	SUGAR SNAP PEAS
BRUSSELS SPROUTS	KALE	ZUCCHINI
CELERY	KIWI	

TOM, DICK, AND HARRY

```
V A N D Y K E D T O Y T Z U F Y F N W Y
P X X H P P N M T M V N R J P C G A L I
O Y B F D F O P S C N D S U T F K I V F
S W C Q U N G T G E E B L F M O X R E F
T M V R S V B G T M N B V M R A E E T P
O N Z G U E Y J R E E T E B O Y N F R O
N M H U Z I L O M I R O N L W R U X A M
C F A U L R S L Q F F G U A A O G B C C
V Q N E A R O E E N N F S J U F N A Y Y
P L K E G O V D F C B I E Y B S O K N M
C M S U N F D L R W K I P Y L T C N C R
W K F B J O N E S Y P A G D O Y O F T L
E A E I F T L U L X A X H C J L N S A E
H O E B L T A X U Y T X Y X Y E N B Q T
C B S A R G E N T A T T R H P S I G W D
M R G C V D C U U S O P B M U B C T V U
F V X B D T F J W V N K L Y G G K Y T W
E Y W V P D O Z G B V N S V V H J O G Z
K I R G D G F F H O M T O H Y I R C F O
Y P F C P E T T Y P Z N C H E N E Y K H
```

BELAFONTE	GRIFFEY	PETTY	SELLECK
BROKAW	HANKS	POSTON	STYLES
CHENEY	JONES	POTTER	TRACY
CONNICK, JR.	MORGAN	SARGENT	TRUMAN
CRUISE	PATTON	SAWYER	VAN DYKE

FAIRY TALES

```
L E S G X J P O T I O N A D Z C V E B S
B F K S G K C L N B H U M W I T C H G P
R F S G G S W Y J J Y A P T Z E R D W Y E
H X K G N E Z N H I P J W L N Q D H K L
A F X Z L O H U M S P G R U C A R I M L
H A N D S O M E P R I N C E H S A T H B
S H Z L N U Y E K B L T W V A P G E G O
W C S S Y B M F Y W Y I O Y N G O H U O
D C O J U E A F Q T E E P U T K N O B K
Y A R F Z I G L Y P V N E U E I D R O J
E S C J V J I C D R E C V G D N V S P Z
I T E B Z Z C L O I R H I Y F G A E H O
X L R B C N S Q J N A A L I O D U T A D
A E E R U Y P M Z C F N Q S R O A L U B
X R R E R H E O E E T T U K E M L O V L
V U D N S M L U F S E R E U S F X E Q I
L C Z I E G L H D S R E E D T O T D G F
T R U E L O V E X X B S N H R A L P K A
L Z F H M K F N M O Q S Y Q U E E P E K
E F A I R Y I P O I S O N E D F R U I T
```

CASTLE	GNOME	PRINCESS
CURSE	HANDSOME PRINCE	SORCERER
DRAGON	HAPPILY EVER AFTER	SPELL BOOK
ENCHANTED FOREST	KINGDOM	TRUE LOVE
ENCHANTRESS	MAGIC SPELL	WHITE HORSE
EVIL QUEEN	POISONED FRUIT	WITCH
FAIRY	POTION	

DOUBLE UP

```
J Y S E F I F G E N U L A D D E R S W U
M C I F O Y X D D V F Q O B W Y T L L V
Z J H Y W P Z J B I X F H B K A Y L W F
N I U B W G B J T P Q U E S A D I L L A
A S N V R P G I R A F F E X V E J Q T M
Q H A N L E P E P P E R S E R R T H M B
I E J Z I A D I N N E R O Z W S P O O N
C A S B J A Q U V B E P A D D R E S S V
H A P P I N E S S H U M M I N G B I R D
M T N U P B C M X L S J J E M T W Y Z F
B U B B L E S K V D Z I P F Y I L O A S
O T G H P P H C V K J F Z H F X S H Y E
O J X R P Q O N D B R E E Z E L E A U Y
K F M Y L F P I L L O W Z Z L W K Y L P
K O X O R V K N I T T I N G X E A W P J
E W O I C Y H E X C V R L J C O F F E E
E S W K I T T E N P A M V C X J E V G V
P T M T P C W B G K M C V E C L S C G C
E S A A R D V A R K B U K T R O Q O A D
R Q N O Q E X R F O O T B A L L P X P B
```

AARDVARK	COFFEE	HUMMINGBIRD	PILLOW
ADDRESS	DINNER	KITTEN	QUESADILLA
BOOKKEEPER	FOOTBALL	KNITTING	SIZZLE
BREEZE	GIRAFFE	LADDER	SPOON
BUBBLES	HAPPINESS	PEPPER	ZINNIA

THE OFFICE

```
W G S W F S T I C K Y N O T E S X A O P
S B O T C P R I N T E R N J U T D R G Q
S S R D A S I Y A A L N Q S I A E B J G
T T G G E P K Q E A S P H N S M X U P E
A G H Q S D L P Y P S D E D R P J S A N
P F S M O A A E I P S D N N R S Y I P V
L J Q S I T A L S X R A H Q S Y Z N E E
E W E B V A C Y T A B H B U H J N E R L
R W G N A R Z P O R W D Q W Q D N S U O
F E D M E X B B E E C I H G Y S U S A P
U H S D F S E B S G W E N R O J D C M E
V I N C T T B K K I D Y K J O E I A H S
P I D R I U Q J F I L E F O L D E R S J
B Z P H R S T S I V L N O J N J E D Y W
X O W E V Y S T P A P E R C L I P S X Y
O K X A N P J O C O M P U T E R J K D S
Y V Z U W C H A R E R A S E R I S B X F
Y R J C Q R I B D S M A R K E R S W M O
I J T C K H Y L Q N T F B G W J L A H Q
G Y D I R T P I S U P X L A G A N H N Q
```

BINDER CLIPS
BUSINESS CARD
COMPUTER
ENVELOPES
ERASER

FILE FOLDERS
MARKERS
PAPER
PAPER CLIPS
PENCILS

PENS
PRINTER
RUBBER BANDS
SCISSORS
STAMPS

STAPLER
STAPLES
STICKY NOTES
TAPE
WHITEBOARD

MYSTERY NOVEL

```
S E W O C O Y H T I W A X E W U M X X W
U S Z Q R A Q J D X H U E P V R H N H E
S X V U I M M T W C O K P O B T E Q W A
P E E C M Q U N H L D H A L D Y S D Q P
I B G Z E K B Y S U U B O I D Z V Q C O
C J F E S S E A G E N Z H C C E K S Q N
I X V W C T J D N S I D S E P L O C J E
O M I M E B C O C W T O C L K I L L E R
N F C J N I N V E S T I G A T I O N N M
A D T W E O Y L H T F R P X E H Y F A T
N T I I Q M N G R N S T D U S O S T N R
G G M T S U S P E C T Z D V F M E H X D
I C A N P F Y H B A J M E G D I V I Z E
H A L E T M Y S T E R I O U S C C O B T
W C I S H H O C G F R L E H P I O B M E
I E B S Q L S E C R E T S Q D D R N R C
G B I J I Y D Q L M M F N L V E P X H T
F Q W C E V I D E N C E E L J C S D T I
M U R D E R U B Q Y Q K N O D W E K F V
X M G S X W M I D C T D M O T I V E H E
```

ALIBI	EVIDENCE	MURDER	SUSPICION
CLUES	HOMICIDE	MYSTERIOUS	VICTIM
CORPSE	INVESTIGATION	POLICE	WEAPON
CRIME SCENE	KILLER	SECRETS	WHODUNIT
DETECTIVE	MOTIVE	SUSPECT	WITNESS

WHAT'S THAT SMELL?

```
V V C F E W T V O R B O M V E G I S K X
K A P H F H X U E S A P H I G P R N O N
P N E B Z M U D J K A M P N H E U W N Q
E I J N W C N W L U T N I S D K P G I C
P L O K U E S U W V I W D W S G N V O O
P L N G V W G C L K E Y O A T I I N N R
E A B A K G I N P R R P M E L A X I S U
R C L A N L I M B D Y T K L Y W R Y H N
M A I H R A U E N B M R I Z L E O E G T
I N T A R P E U A Q A R R G B L X O K N
N D G Y M F A B G M G W K V Z S E Q D M
T L M E F L T O H D D W Y Y D G W Q K R
O E R O N V D S R N V E U M A V S H X I
I Z C A L T I A Z U I K L B E X R W J O
L M E W E F Y F F J N S R E W V O R V W
W L P W W K D W E Z E A S J L D S R L U
C P K J C F H A Y K G Y C O L I E H L U
K X S A B R E A D B A K I N G N S C C Q
F M B S S H E S H J R Y E I I S Q N I O
M W R F Z D F R E S H L E M O N L Y R Z
```

BABY POWDER
BACKYARD GRILLING
BREAD BAKING
CLEAN LAUNDRY
COFFEE BREWING
FISH MARKET
FRESH LEMON

GARBAGE
GARLIC
LAVENDER
ONIONS
PEPPERMINT OIL
PUMPKIN PIE
RAIN

ROSES
SANDALWOOD
SKUNK
VANILLA CANDLE
VINEGAR
WET DOG

SOMETHING IS FISHY HERE

```
J V M O N K F I S H A D G F C A G O X T
V V O C C R E D S N A P P E R H I R A B
U G H R C J W D S V K A S I X H G A U N
R U A S O Q B S W I J J F E A K I N F K
G K L I B E T B O R C H L M H T T G L H
E I I E D O I I R G L A I H R G M E R E
Q P B J Z D L U D C E H R X Y Q R R H R
S E U E K O A G F V A T N P H E L O Z R
T R T I B C P O I M B T N G K Q A U Y I
R C K J Z E I J S P A H F C C S O G E N
I H O P S T A Y H C J Z A I H U Y H B G
P E T T L L Z Y H W M M B M S Z M Y Y Q
E T T B F I F L O U N D E R B H C T N C
D X J A L A S K A N P O L L O C K U I O
B W U N M R A I N B O W T R O U T N R D
A B T U S A L M O N Q W I G E M J A C S
S B T A L H Z W J T S A R D I N E S N V
S N Q O K L U P V K W C G C F M Z V H R
C W C V U Q K I C E Z A C F J I U C I M
I H N R R B U H Q M K A R X A D T X G Y
```

ALASKAN POLLOCK	MACKEREL	SALMON
CARP	MAHI MAHI	SARDINES
CATFISH	MONKFISH	STRIPED BASS
COD	ORANGE ROUGHY	SWORDFISH
FLOUNDER	PERCH	TILAPIA
HALIBUT	RAINBOW TROUT	TUNA
HERRING	RED SNAPPER	

WHAT'S GOING ON?

```
F V E R S K S T A T E F A I R S D P O B
Z B R O A D W A Y M U S I C A L H O X J
D B O O K S I G N I N G I G C J P K K A
O X A P D O Q S J G J F O M C R Q T M P
G E M I B E Q D G K D F U A V H P O K O
S X U R P A R A D E Q V R X V L P B T L
H U T B X F I R E W O R K S H Q A E M I
O Y N B D W E D D I N G N M K R R R I T
W P I E E A T I N G C O N T E S T F Z I
F N F O O T B A L L G A M E P I Y E Y C
T F M C O N C E R T W L H F P Y X S A A
N C D A N C E R E C I T A L A U S T H L
B D O R G R A D U A T I O N U R A C O R
S I H X B U C D D E H M T G D Y J J X A
A G A L L E R Y O P E N I N G W U S F L
M O V I E P R E M I E R E W E F U J G L
N P D Q G S P E L L I N G B E E W W G Y
Q Z R L C K C A R N I V A L Y Y R Q G W
L I U D V A R T F E S T I V A L E S E H
B U R W Q D E O Z K N A Y F V E I Z B Y
```

ART FESTIVAL
BOOK SIGNING
BROADWAY MUSICAL
CARNIVAL
CONCERT
DANCE RECITAL
DOG SHOW

FIREWORKS
FOOTBALL GAME
GALLERY OPENING
GRADUATION
MOVIE PREMIERE
OKTOBERFEST
PARADE

PARTY
PIE EATING CONTEST
POLITICAL RALLY
SPELLING BEE
STATE FAIR
WEDDING

HOMOPHONES 2

```
O W P B E H A U O P Z Z E E G W H O A E
H W E I G H U G P A G K E F V H L Z D D
U N W E D W H V J V Y L B B E A D U X Z
F I B Q K Y Y W U S F S L P N V G W P E
E W F R G F P C Y H X B Z T C C H U X X
D A U S W R I T E U Y L L X G O U R H C
T Y T S P W H A I R C E G S C T H E R E
Z K W T F Y Q F H N E W S E R I A L G W
T Z W H P O O R V P R C Q M R P T G C W
H M Y S B O O E Z X E K A E G V B J E B
R R G A R C A N S H A A C B E H A R E V
E I H P F S G J K T L U O V U U W R O V
W G O E D Q R B R E A K Y H M E U Y A V
S H M V C L E Z L E Q K K I T O K J O T
O T O G R T A S K E D N Q Q P R Z L G H
Y P H D A T T A I M E R L S I S Q F Q R
B Q G R X B R Q B J V E X E H X Q Y G O
C W G E F B L A S Q Y L H J D V W T V U
M B C I S D H U P R U T P H I Q B T J G
G M V V Q I F N E X D K A D V E J J T H
```

BLEW	GRATE	POUR	THREW
BLUE	GREAT	RIGHT	THROUGH
BRAKE	HAIR	SERIAL	WAY
BREAK	HARE	THEIR	WEIGH
CEREAL	POOR	THERE	WRITE

IT'S CRUNCH TIME!

```
G V Z N W M D L I Y C O R R X U X J S A
E V S L M O L O G R N Z D M E P H D V V
W D L G C M P Z J X Y Y R K A R T E U E
K P C S A P X U D S K Z F Y N E L I K L
K C E V R G D D M Q X H Z F M T F A R U
N K L Q R N P Q Z P R Z N G T Z C X W H
C E E F O P O N G X K M S I J E N C W E
E V R K T F T C R R Y I R W C L V F L E
R N Y Z S F A N S Y A B N I W S W P X U
E C C T W Z T W T R Q N R S M P P W P C
A U O X P X O F L Z C R O F E A F P I A
L C N N H V C T V H B O U L J E L N T L
O U P A C Q H J W J T B O Z A J D C A M
O M V C S V I F N R W U N K V Y G S C O
F B D H O G P P G R Q R W W I C B V H N
G E F O L X S G G Q T F N C K E X I I D
N R S S H B R E A D S T I C K T O F P S
P I C K L E I N N A X U N W B S I C S S
P E A N U T S P O P C O R N O W P W D X
A Q A V U N C R A C K E R S G D A B Y X
```

ALMONDS	CELERY	GRANOLA	POPCORN
APPLE	CEREAL	NACHOS	POTATO CHIPS
BREADSTICK	COOKIE	PEANUTS	PRETZELS
BRITTLE	CRACKERS	PICKLE	PUMPKIN SEEDS
CARROTS	CUCUMBER	PITA CHIPS	RICE CAKE

YOGA POSE

```
C E X T G Y Q V I C R Z S C N K S O L L
P R K S G A V T Q A P Y R A M I D P J M
J L O J V Y C A K G T Z G K M I O R L G
X S A W L D Z J I S H H O V H F W T M
Y E C N D O A D J M R J D B O P J A I O
X A A M K W F Z V M E X D R C J Y R H U
U T M X C N R V I O A C E A H O Z R A N
M E E N O W D F N F D N S G I X Y I P T
E D L F R A S Q M S T R S D L O S O P A
E T I D P R Y U X E H I S O D W N R Y I
S W N A S D B A P Y E O Q L S S C V B N
E I M Q E F S G R Q N D U L P N V X A R
A S G C H A T K A F E T A G O G W L B X
M T W A K C R W Y O E G T J S T A O Y Y
R F V T E I E J E Z D Q U O E N X T B R
N V K M J N E W R N L I Z A O N T U R Y
W K N Y V G P Z M V E K E E X H X S I E
J P F F P D O F N R G B G J G U U U D W
V M Q N E O S G D C J I R G D W Q G G O
V E E H Z G E V J R P N C G U A L P E T
```

BRIDGE	GODDESS SQUAT	PYRAMID
CAMEL	HAPPY BABY	RAG DOLL
CAT	LOTUS	SEATED TWIST
CHILD'S POSE	MOUNTAIN	THREAD THE NEEDLE
CORPSE	PIGEON	TREE POSE
CROW	PLANK	WARRIOR
DOWNWARD FACING DOG	PRAYER	

A STICKY SITUATION

```
C Z S C W Y Z S S N H A M I F Q V W P H
J W G L U E M Z O J E L L V H L X Z L E
N F I N G E R S R E F Y M V O X U O P S
R V J E X J Y B F D J I H Y N U I A G B
V H R W C X P F W U T I K E E S T E H P
Q C H H O T O E Y C G C Z G Y T B T Q X
R V N P G T G X A T G A P H U I S S L Z
M L E Z K O F D T T G R P R F C P R B L
N C W D C Z N Q P A E A A V L K I O I X
N T A B C G U M G P L M X F Y Y D P C A
G N Z B A N D A G E X E X D P P E V W F
C O T T O N C A N D Y L J F A U R Y B R
S I Y R Z P Q R M U B M D L P T W S K E
H U O Y M P A S T E V U P W E T E Z A I
O E N F N X A D A V X J M V R Y B E N A
S T I C K E R S T T T E B K O T V M G G
S M S R O C X I N A S H U V L L G G Q P
Z Z M A S A P Q E S I U Q M S F W T T L
A D H E S I V E T N Q S K G S T A F M T
S Y R U P I K J V S X Y J T O O D A U Q
```

ADHESIVE	EPOXY	GUM	STICKERS
BANDAGE	FINGERS	HONEY	STICKY PUTTY
CARAMEL	FLYPAPER	PASTE	SYRUP
COTTON CANDY	GEL	SAP	TAPE
DUCT TAPE	GLUE	SPIDER WEB	TOFFEE

IT'S QUITE A CONUNDRUM

```
V W G V E P D D I L E M M A Y W P J X P
S U W J Z F Y T H H S V Y R Y L S B A O
C R R D F T T S F Z V J E R U T P N E U
H G M P A R A D O X S T E Y H U V L P A
C E S T I C K L E R S S F I O Q B B M M
N W I W F O I G V Y O I T D B U R G M I
D U M O C T W H M P M D T Y O A I T H N
V P R O B L E M E B G N E R U N D A W D
R Q U E S T I O N W E T T P E D D B R B
K N I U A E V I F M J Z N L Z A L G D O
G J H E A D S C R A T C H E R R E W I G
T W O V I Z C E B P W P V J E Y C S F G
U I T N P O D R A J P U Z Z L E R K F L
U B I Y F L B V F C R M P L I Q L S I E
B F E M I N P M C Z W W O Z L D V P C R
Q L W W I P E R P L E X I T Y X D A U P
A N E S J C N L K J L Y K D P X N B L V
B B I F R H Y P S T U M P E R S T C T K
F E Z B R A I N T E A S E R P I O F Y P
O Q B S U Y T P C H A L L E N G E Y T M
```

BEWILDERMENT ENIGMA PERPLEXITY QUESTION
BRAINTEASER HEAD SCRATCHER POSER RIDDLE
CHALLENGE MIND-BOGGLER PROBLEM STICKLER
DIFFICULTY MYSTERY PUZZLER STUMPER
DILEMMA PARADOX QUANDARY TROUBLE

ON THE INTERNET

```
V C P Y F H K B R O W S I N G D N V J B
G R Y P G A M E S M W T B O N W T J O N
A E V I R S U N R E S E A R C H A Z D P
Q C B L E E S T O C Q R R N J P X Z F U
W I A G S L I E Z G N E K G J G E V A K
Q P N Z E L C R B H M F Z S L E S A M F
D E K V R I T T B K T E N O R N P E D X
B S I K V N V A M H F R G C E E J I F S
H O N U A G D I T D F E Q I A A R L W W
L V G D T N H N T O K N X A D L B B E C
G I C F I V E M Q W J C E L I O Z J L K
B D D O O I C E J I G E F M N G E C H G
E E V J N E D N X N B S E E G Y M Y Q S
J O L Y S H I T I H A O V D H D A A V H
I S C T J Y A N O A B U B I I V I W F O
Q I E O R C I E A Q K R B A H G L M H P
T X K W M A S P E L L C H E C K Z H S P
W O O L R D L G C Y N E X A K B H W V I
Y M T T G J O B A P P L I C A T I O N N
H A U Q T J B C Z S M I V M I R U M N G
```

BANKING	GENEALOGY	REFERENCE SOURCE	SOCIAL MEDIA
BROWSING	JOB APPLICATION	RESEARCH	SPELLCHECK
EMAIL	MUSIC	RESERVATIONS	TAXES
ENTERTAINMENT	READING	SELLING	TRAINING
GAMES	RECIPES	SHOPPING	VIDEOS

IT'S ALL GREEK TO ME

```
S Q B E K B Q S D S G M L C Q J C B W G
W X F J A P F N N Z B O N A B R B Y N O
S E J G L R B Z U L G U O R A U P H I L
H D T O A L E H E H X S V T A K O G C D
A J W D M Q H E I A G S D O N C S B O E
Q K A K A U J E N J H A R G C A E A L N
F G T G T B U G B Z A K L R H D I K Y F
D C E V A J X T S E D A L A O U D L M L
Y T R Y O R J U L J E J D P R C O A P E
H Z W G L Y E G Z H S L U H Y E N V I E
T A H N I Z X N W F B H G Y I U U A C C
H T E R V C V G N M G P T H T S M G G E
R Z E Q E Z A H G M Y T H O L O G Y A E
X I L X S A T H E A C R O P O L I S M H
L K L I G H T H O U S E W B E I S A E C
R I E G G Y R O Z R B Z Q Q E Q H F S U
R N M X K F D C C R I W U Y K F F K W I
H D E M O C R A C Y I M E V E C B N O B
Y M T H E P A R T H E N O N E X N S S X
L L D D R A C H M A B M W J N E S V R Q
```

ANCHOR
BAKLAVA
CADUCEUS
CARTOGRAPHY
DEMOCRACY
DRACHMA
GOLDEN FLEECE

GYRO
HADES
KALAMATA OLIVES
LIGHTHOUSE
MOUSSAKA
MYTHOLOGY
OLYMPIC GAMES

POSEIDON
THE ACROPOLIS
THE PARTHENON
TZATZIKI
WATER WHEEL
ZEUS

HAPPY HALLOWEEN!

```
K A B V Q L L K P M T R X X W U U D R Y
J O A H A U N T E D H O U S E Z G V E B
O R I E K Q I V Q X P I A F D P X T F I
L Y X C S L C X G E W I T C H Y C I P T
Q X L W M P U M P K I N S N P M R Z I Q
C R E E P Y W V H H O S P E L L S K L F
Q S K E L E T O N S I G O L B G E M C S
U L A D T V Q R C V S J O I L H Y M A H
B S J K R H C R C K C N H Y A O Q A N L
L P P G I F Z P H I G R C W C S W G D Z
A I X R C H M W L J P W W Q K T B I Y E
C D N A K P L P Z I P A X B C S M C C Q
K E I V O W O J A C T R R G A A G P O J
C R G E R X A V T E A Y Y T T H W O R W
A W H Y T S T W T P K N R L Y K C T N M
N E T A R G D O U O R C D W F C W I I S
D B T R E X M N O M A S K Y S P Q O F K
L S I D A L G P G J P N T O P W A N H G
E U M I T J S G Z K B M G N G R C E L F
E A E G Z J T M Y E H H C O S T U M E I
```

BLACK CANDLE   CREEPY   MASK   SPELLS
BLACK CAT   GHOSTS   NIGHTTIME   SPIDERWEBS
CANDY   GRAVEYARD   PARTY   SPOOKY
CANDY CORN   HAUNTED HOUSE   PUMPKINS   TRICK OR TREAT
COSTUME   MAGIC POTION   SKELETONS   WITCH

MEDICINE CABINET 2

```
N X R O G G G D I U W R I D V F E T I V
W S R A A Z U U R X B N A T E H H C C E
Y H U D C C T J E S C A N D H O C O O J
A Y B E O P E B T K O I T E Y G O M L C
L L B A R J E V O Y U L I N D Y U B D O
O A I R T Y P H O L G C B T R G G Q M T
E C N D I Y A A T H H L I A O G H B E T
V S G R S V I T H X D I O L G M S X D O
E P A O O O N O P M R P T F E O Y C I N
R E L P N Q R O A U O P I L N U R O C B
A J C S E O E T S O P E C O P T U T I A
G O O T C C L H T C S R O S E H P T N L
E T H D R G I B E Z X S I S R W M O E L
L J O L E W E R G X G A N N O A O N M S
Z D L X A N V U Y V N S T Q X S J S V I
L I A S M S E S Q H Z I M A I H Q W K Z
G W A V R K R H I L K C E I D G J A K J
F P R E S C R I P T I O N S E Q Z B P P
O U W O V J T Q F D L F T P D Q X S J F
R N O U S I N S E C T R E P E L L A N T
```

ALOE VERA GEL
ANTIBIOTIC OINTMENT
COLD MEDICINE
COMB
CORTISONE CREAM
COTTON BALLS
COTTON SWABS

COUGH DROPS
COUGH SYRUP
DENTAL FLOSS
EAR DROPS
HYDROGEN PEROXIDE
INSECT REPELLANT
MOUTHWASH

NAIL CLIPPERS
PAIN RELIEVER
PRESCRIPTIONS
RUBBING ALCOHOL
TOOTHBRUSH
TOOTHPASTE

THEY GO TOGETHER

```
L D K Z X L P I K D Q T N V A A I C P G
U R T J G A E D V R D H R W B T G W H T
E O H A E U A I M A S U H N L Y B B T M
W M D C I R N M O G O N N B A H N A H E
S E T K F E U U S G A D N K C B E C E A
U O H A Z L T S H E P E J I K O E O L T
G A S N B A B I O D A R X N A N D N M A
A N A D R N U C E Y N A S G N N L A A N
R D L J E D T A S A D N I A D I E N A D
A J T I A H T N A N W D S N W E A D N P
N U A L D A E D N N A L B D H A N E D O
D L N L A R R L D A T I H Q I N D G L T
S I D E N D A Y S N E G Z U T D T G O A
P E P X D Y N R O D R H S E E C H S U T
I T E C B I D I C A W T U E A L R P I O
C Y P D U J J C K N Y N R N P Y E M S E
E I P Q T E E S S D E I G D F D A M E S
T R E W T O L Z G Y H N H N U E D K A B
D C R Y E T L E C N F G I Z B I H I R U
X A W W R O Y H O R S E A N D B U G G Y
```

BACON AND EGGS	LAUREL AND HARDY	SALT AND PEPPER
BLACK AND WHITE	MEAT AND POTATOES	SHOES AND SOCKS
BONNIE AND CLYDE	MUSIC AND LYRICS	SOAP AND WATER
BREAD AND BUTTER	NEEDLE AND THREAD	SUGAR AND SPICE
HORSE AND BUGGY	PEANUT BUTTER AND JELLY	THELMA AND LOUISE
JACK AND JILL	RAGGEDY ANN AND ANDY	THUNDER AND LIGHTNING
KING AND QUEEN	ROMEO AND JULIET	

WOULD YOU LIKE A DRINK?

```
S I G E Y S O V C X C A P P U C C I N O
H S Y I P X D G Z A L E M O N A D E T P
J O J U N F R U I T P U N C H R T I Q I
B A J H O G Q M J X R X L M P L G I N I
E S I V C X E A X E L D T K P E I K A F
J A J C Q U L R Z T D D O O M I L K W P
C X A D G Q O T A D Y S M I P K E N W P
T B F P S K L I A L R E A O C A C G A C
G O N Z O E S N O C E A T A A R Z A T M
B K O Q S F E I J T K S O P A I E M E S
H O T C H O C O L A T E J P W T A A R O
X G Y F G V L N H X R F U L D R J R D D
Q O R A N G E J U I C E I E P K Q G D A
D P V B R Z C H Z Z V H C C W K H A M X
M O X G I N Q Y B I O I E I N J X R P H
C O F F E E W A Y X Q N Y D B D L I Y Y
B Y R T M I L K S H A K E E C S K T E F
E Q M E S W I N E J J J O L R R D G A R K
E O V A H O T T O D D Y D S C W A B S E
R C X N N R U Q B X R R I C K U S I Y Z
```

APPLE CIDER	GINGER ALE	MARGARITA	SELTZER
BEER	HOT CHOCOLATE	MARTINI	SODA
CAPPUCCINO	HOT TODDY	MILK	TOMATO JUICE
COFFEE	ICED TEA	MILKSHAKE	WATER
FRUIT PUNCH	LEMONADE	ORANGE JUICE	WINE

WHAT'S FOR DINNER?

```
W T P Z A H N N I Q N F F B T P I Z Z A
S Q T D G L T A C O S S Z W C W L N S U
H N G L A Z E D S A L M O N A J Z J G X
E G A B U R G E R A N D F R I E S B L M
P Z H G S Y L A E E B O K K J E X E A K
H B F R I E D C H I C K E N P Z F S S G
E Z E N C H I L A D A S M E A T L O A F
R F I L E T M I G N O N I Q A H R J G G
D S H R I M P S C A M P I V R X U H N T
S D F H P O T A T O S O U P G E L U A U
P S U B E E F S T E W N J N H G F S Q X
I G S B R O C Z R P A S P A G H E T T I
E V C H E F S A L A D S O Z J L K L H H
F W Y T F E T T U C I N E A L F R E D O
P O R K C H O P S B F H Z N B I M I I Z
C C H I C K E N A N D D U M P L I N G S
E M V C P N R Z P E E Z U O T L Q E D K
B A R B E C U E R I B S Q J N R L W P K
O O R W T O O Z Q Q H E M O W E T Z J W
A O G M C H I L I W T B W O T X X C Z R
```

BARBECUE RIBS   FETTUCINE ALFREDO   PORK CHOPS
BEEF STEW   FILET MIGNON   POTATO SOUP
BURGER AND FRIES   FRIED CHICKEN   SHEPHERD'S PIE
CHEF SALAD   GLAZED SALMON   SHRIMP SCAMPI
CHICKEN AND DUMPLINGS   LASAGNA   SPAGHETTI
CHILI   MEATLOAF   TACOS
ENCHILADAS   PIZZA

EUROPEAN CAPITALS

```
O Z R H Y U L O F A W A R S A W E B L L
K G K A E L R S B H I D X B U S K G I I
B I V C N F J L A H D O A R E O W C D S
R S Q R O V R O T P U N Y U A F Z M X B
M D A D H A Z D W P B E R S I I O A X O
B C R T G D G P O R L D O S P A C I K N
Q U L I H E Y A U A I B M E N Y W Z X W
Z Q R G O E O R B G N W E L I E T L H Z
V B X T T D N I L U I G P S K S S O E P
S R N J O D K S Y E G G I C E A M N L C
C C V A J W M V L S G N P A M G D S U
J Y Z V S C D H Z N R Y A N D S K O I G
O N V N T P K N I Q W D N A D T B N N B
Q H L I O D R U E N U E G R K E M P K C
B Z Q G C K A I R B I O M G P R Y O I Q
L L B X K U I R O V P L B D R D V Q O G
C M E H H A Z Q Y F S G W U Z A W D Y L
S N Q C O P E N H A G E N C O M N T B W
H Z U K L D V L T O M A D R I D G Z Y S
A R U H M K G Z Y I A P B E R L I N D V
```

AMSTERDAM	COPENHAGEN	MADRID	ROME
ATHENS	DUBLIN	OSLO	SOFIA
BERLIN	HELSINKI	PARIS	STOCKHOLM
BRUSSELS	LISBON	PRAGUE	VIENNA
BUDAPEST	LONDON	RIGA	WARSAW

RIVERS OF THE WORLD

```
S M V I M C D Q E U P H R A T E S V A F
F T A P P I P R I X V V G P Z K P X V U
P Z H D U H S F V V P J R I B I F K E P
F Y S A E J J S K V U W Z P Z C R I N G
H A N U M I D T I E H W Q H R E R O I V
J N X R W E R L O S C A A H Y N I Y U K
F A P A D T S A Y G S Q B Y O N O K U N
H B E L S I H W U N V I S I D H G E Y O
D L G U U G G R K L D L P C P T R A M R
G Z M L N R K E O V H B N P G K A Z I H
I O C L G I T N N D Y O C X I B N Y E P
B P R Z A S Y C A A Z A I P Z R D D W K
V N L V R V F E K A K Z N G S K E A N X
I B I O I J J D M G N H G G O R B R U C
X E W L F I R A J L I C C W T D N L D O
S V N G E A Y Y B T G Z X P S Z O I A R
Q T R A E D Z H C X E K O K U E E N N A
A Y X A T G Z F C D R N Q A H R B G U N
Y Z I R Z E L A T B G A N G E S U F B G
A G Q V E B C B E L T H E U U Z D S E E
```

AMAZON	MADEIRA	PURUS	TIGRIS
DANUBE	MISSISSIPPI	RIO GRANDE	URAL
DARLING	NIGER	ST LAWRENCE	VOLGA
EUPHRATES	NILE	SUNGARI	YANGTZE
GANGES	ORANGE	THAMES	YUKON

JUST DESSERTS 2

```
U C F F U V N K N B B I A R L C G Q T B
Z O J R G E T M Z V R C P S A G D T K H
C D F U N F L V T S O H P T P G C S W F
P W G I G C E V R M W O L R Z T C Y T R
N K P T D D M D I N N C E A B W Y U B M
M E B C E O O S F G I O B W A B O W A Y
S Y Q A V G N Q L P E L R B K R G T N I
B L D K I F M G E E S A O E E E I F A C
B I J E L E E A P A U T W R D D N L N E
R M I E S U R L M C X E N R A V G G A C
E E S Y F K I E G H C M B Y L E E J S R
A P B D O W N T R C X O E S A L R N F E
D I A C O A G T Q O E U T H S V B I O A
P E K S D X U E V B M S T O K E R I S M
U J L H C A E V J B D S Y R A T E D T S
D A A Z A G P N U L R E U T F C A U E U
D B V Q K K I H V E G W Q C F A D D R N
I A A F E E E R Z R P P X A D K A J K D
N P U M P K I N P I E W L K F E I V R A
G M K C R È M E B R Û L É E Z D J F Z E
```

APPLE BROWN BETTY	CRÈME BRÛLÉE	LEMON MERINGUE PIE
BAKED ALASKA	DEVIL'S FOOD CAKE	PEACH COBBLER
BAKLAVA	FRUITCAKE	PUMPKIN PIE
BANANAS FOSTER	GALETTE	RED VELVET CAKE
BREAD PUDDING	GINGERBREAD	STRAWBERRY SHORTCAKE
BROWNIES	ICE CREAM SUNDAE	TRIFLE
CHOCOLATE MOUSSE	KEY LIME PIE	

GRAMMAR 101

```
N J S F P F E H C P X C O R W K A S H F
L A Q T R P P C O X P O C F J H V L S Q
R R Q B O R R O T M Y M O S E J P B N I
P S J Q N E E M E H K P M T P A U J R N
G I D U O D P M O P K L P L R C P I U T
M M Q O U I O A S O A E O W O O U N A E
N P H T N C S S P S D X U N P R G T P R
C L V A S A I G P S J S N A E R C E O J
I E R T C T T N Q E E E D D R E C R S E
P S V I G E I X O S C N S V N C O R T C
P U E O E S O N C S T T E E O T N O R T
S B R N F Q N O L I I E N R U S J G O I
E J B M D C A S A V V N T B N P U A P O
M E S A U E L B U E E C E S S E N T H N
I C H R A U P E S N S E N Z Q L C I E S
C T Z K Q V H V E O H Y C Z V L T V S Z
O F F S T N R I S U Q F E U C I I E P P
L S N B A Z A N G N E O Q Y E N O S F L
O J Q W J B S T J Y Q E O B D G N K H O
N C R U L L E I U M M H F A B C S T N N
```

ADJECTIVES
ADVERBS
APOSTROPHES
CLAUSES
COMMAS
COMPLEX SENTENCE
COMPOUND SENTENCE

CONJUNCTIONS
CORRECT SPELLING
INTERJECTIONS
INTERROGATIVES
POSSESSIVE NOUN
PREDICATES
PREPOSITIONAL PHRASE

PRONOUNS
PROPER NOUNS
QUOTATION
MARKS
SEMICOLON
SIMPLE SUBJECT
VERBS

IN DICTIONARIES

```
R U Y S Q M D O J H E M X B N C P X S P
H X U U A I Q U H R T R S N N J F C F P
D Q O K D I R K N T C A Y O C S A O J H
P C E B N V R O M S E N I T I U R D Y H
O R G A C K H X N D T Y W E P J I T F C
C V V P C F I Q I E Y O N S Z J E V Y Z
M T S T O T K R N R D K N V P L S F G G
B S K X S W I V T Y X S C E G Q P G F B
U Y S Q S C S O N E A C D N D Q Y M Q N
G W Y Z I A J G N B D E O E R V J G O L
G U M E O I Z D B L I E N I A K K I N X
Y Y O K A D P W B R H O A U H B T T T L
G X Y H B E F Z T S T E M F L C V R A C
K M J P T S K G B S A Y A I I R Q A A Y
C R E A T I O N H N G N I D R G S D G G
T R A C E D G K K V C M D C R C C E Q A
E A R A I S E V S E C T I O N V E S K X
N O U P Q Y V E E O S D Z X Z G N W P S
W K P T X E Z I M Z J V F W F N T W Y I
G S T A R U O J T O N I C W P G D N Y K
```

ACTION	DICTION	SAND	TONED
AIDES	IDEAS	SCENT	TONIC
AIR	IRONED	SECTION	TRACED
ARIES	NOTES	STAR	TRADES
CREATION	RAISE	STONE	TRIED

TICKLED PINK

```
C A M Y B A L L E T S L I P P E R Z N A
V P Y G F U C H S I A M I U Z R P C K I
I H F T R S H E L L P I N K E Q E B N R
T L M U O M A G E N T A Z A L E A V F K
H Q Z K S J G J L D G D Q A H E R G N U
Y D R O Y V L R B V Q D R C C E R J C M
K I O O S D H B X X K O A X A G H H N Q
I N W L S W Y D H I C E V L R F K B N U
J X N P V E X M Q M P D X I N C R L E S
B U B B L E G U M P I N K G A E I U O A
N Z G R Y P G O L N T Z R H T R G S N L
H J F M N G A M L Y B E K T I I U H P M
Q T L T J H V S F D N G T P O S H H I O
T E A J A O W N T M Z Y R I N E J A N N
R E M Z P T K Q N E A R Q N P S I I K R
P H I L K P R W S N L U K K I J V A I Z
E J N F Q I F E Y C W P V U N G B U Q W
M E G Y X N U Z Q R U E I E K X K I R I
T Y O R D K Y P N C M W B N I Z K H Z A
S J E Q N O U M G I O S A M K Z O I D V
```

AZALEA	CERISE	LIGHT PINK	PEACH
BALLET SLIPPER	CORAL	MAGENTA	ROSE GOLD
BLUSH	FLAMINGO	MAUVE	ROSY
BUBBLEGUM PINK	FUCHSIA	NEON PINK	SALMON
CARNATION PINK	HOT PINK	PASTEL PINK	SHELL PINK

BOOKS OF THE BIBLE

```
N L E S G O G E N E S I S K K Z J B X A
V I P Q S K F S I R D M F Y B P L I U F
J B D Q T Q R A P T G W M U R N B O D C
H I S M R I K S R F Y A U J S P E B S O
B M E X L E G C O R R Q L S P C G E F R
A Y C E M U V T N N H O V A U L A C W I
W Q C T P K K E H O G Q M O T T C F F N
Y E L V H M M E L X M O H A G I R L I T
O Z E H K E B W D A W D F K N B A E Z H
A M S P N E S V C E T P Z S Q S R N A I
E E I M W X E S X E U I R G O C I R S A
E R A A H O P R A Q H T O O M L Z G Y N
P U S T G D L R B L H E E N V J O B Q S
H T T T N U A J A Q O F B R O E U M D Y
E H E H G S C G S Z X N F R O F R D O G
S A S E R V T L X F K Y I G E N J B E N
I R B W C C S G M M M D U A V W O P S W
A Y R P S A L M S R Z X T T N B S M G M
N M H F N V R B E M E X O L O S I Q Y M
S P D A N I E L Z A H Q E X D R Y V K M
```

ACTS	GALATIANS	PSALMS
CORINTHIANS	GENESIS	REVELATION
DANIEL	HEBREWS	ROMANS
DEUTERONOMY	JUDE	RUTH
ECCLESIASTES	LUKE	SONG OF SOLOMON
EPHESIANS	MATTHEW	THESSALONIANS
EXODUS	PROVERBS	

THE COLOR PURPLE

```
U J L A V E N D E R W J T O V X M N T T
M A U V E R Y O X L Z M F L D U A G H E
E W M F J L V K E B G V V Y L I V O I N
S O F N M U L B E R R Y T P F V F W S H
C O J G N Q P Y S K H T N F Q L Y G T V
E G G P L A N T P E R I W I N K L E L I
M P U R P L E H E A T H E R R X S E E O
D P W S Q U U C Y O O P U R P L E I P L
B V B Y Z A N T I U M I R L X I J H G E
E U N M H Y X W B C F P H W D T X W B T
W U I Z V R E D V I O L E T Z W T Q L Z
I Q S O C H W M N Q H B P R T V A A U M
S K A R N K N W O C R Y J B W J X U E T
T H X C X I B O Y S E N B E R R Y B V E
E P L H D O E W M F G E U U N Q Y E I H
R M V I A M E T H Y S T Z E W N P R O J
I U U D K C L X N Y W B I X R Q Z G L E
A T E D T S R Q I D F A Q D K S B I E R
A Y X Z M I N D I G O Q E C G E X N T C
L J W Q H L I L A C Q O R O D V E E Y L
```

AMETHYST
AUBERGINE
BLUE VIOLET
BOYSENBERRY
BYZANTIUM

EGGPLANT
INDIGO
LAVENDER
LILAC
MAUVE

MULBERRY
ORCHID
PERIWINKLE
PLUM
PURPLE

PURPLE HEATHER
RED VIOLET
THISTLE
VIOLET
WISTERIA

OWLS

```
B I G E A S T E R N S C R E E C H F W J
U I U P Z L O N G E A R E D L R F L S Z
R E X F V R T A D W Z Z H R H O Z A B K
R W D N X D S P O T T E D W O O D M J O
O E P F O T M V H U Z S P H I A B M T N
W D N Q F R A R Y K L T E X L Q O U D G
I M U V A D T W C E U R P R P E A L A A
N Z U M E L H H N K R I B R O G B A V B
G K S G C Y Z Z E Y S P Y L D T O T X R
W E S T E R N S C R E E C H K M R E E S
V S N O W Y P Z G H N D E I M T E D Y P
O K C K Y F X E U R A S I A N E A G L E
M S H O R T E A R E D F A R W Z L V Y C
C R E K G R E A T G R A Y W C B E U F T
D S Y B X Y C C Q K Z E C H W D F L Z A
D G R E A T H O R N E D J M K H E Z L C
Y Z P N L A T F X G U W B A R N E Y I L
U H J I S M Y V S K J X S S P T E T Q E
G M C O L L A R E D S C O P S O W L T D
P F N O R T H E R N P Y G M Y O E S Q W
```

BARN
BOREAL
BURROWING
COLLARED SCOPS OWL
EASTERN SCREECH
ELF
EURASIAN EAGLE

FLAMMULATED
GREAT GRAY
GREAT HORNED
LONG-EARED
NORTHERN PYGMY
NORTHERN SAW-WHET
SHORT-EARED

SNOWY
SPECTACLED
SPOTTED WOOD
STRIPED
TAWNY
WESTERN SCREECH

TROPICAL BIRDS

```
R H R G R I A S U H K S M T O U C A N B
W U R T B H Y Q C H E K K H U B Q H D V
A L D F U O O U C K M I A H W G C Y R B
M N P Y D N H E T J E N M U L Q H A T I
Z S S T G E Z T M K R G F M M K F C Z R
S S V V I Y D Z D M A F R M Z E E I P D
P P C F E C H A H F L I Y I Y N C N Z O
D I P M V R I L O N D S D N T Z A T G F
C X A T C E W U R N T H H G N L N H T P
K G R U O E L F N R O E M B D G A M K A
T R R R C P O L B J U R J I V P R A L R
N E O A K E V A I Z C P B R Q H Y C Z A
A Q T C A R E M L J A B H D P R E A R D
Z Y B O T K B I L Q N K Q T S Y T W V I
U A H Q O G I N G T E P K K S N J L E S
N E B Z O P R G F R T Z R F V E U Z L E
I A U B O U D O M S F D Q K K Y E H Y O
A R A I N B O W L O R I K E E T G N N Z
A C O T I N G A P O Z S C Z A D S O D C
C E M O T M O T S C A R L E T M A C A W
```

BIRD OF PARADISE
BUDGIE
CANARY
COCKATOO
COTINGA
EMERALD TOUCANET
FLAMINGO

HONEYCREEPER
HORNBILL
HUMMINGBIRD
HYACINTH MACAW
KINGFISHER
LOVEBIRD
MOTMOT

PARROT
QUETZAL
RAINBOW LORIKEET
SCARLET MACAW
TOUCAN
TURACO

NO-EL

```
X I Y H W S X C T V W R E A T H D Z E M
W Q K T P R E S E N T S N Z D C V X N S
O G L E L F T S W M B X L A M M P A N D
J I R E I N D E E R I C Z B Q V M F T B
L F N T A C U Z X S M J A R X W K Y K L
W T N N U T C R A C K E R N O U E J Y H
R K G R I B B O N W Z U B N D T M O Z O
A A S X K K R Q Q J S C S L K Y Q G G R
P G T Z R M L Z F J A Z Z V S J C I W V
P S U G A R C O O K I E S D U K R A H M
I N I F A T H E R C H R I S T M A S N W
N A U A N X X Y P O I N S E T T I A K E
G T N C P Q A R H K A P W K Z S A N T A
P I F H D V C F Y Z Z R R S E D F H Q N
A V Q I T P D D P O A A U R D V A W P T
P I X M H Q Q Q J T Y T X H D H N I T T
E T Q N S W C Z S S T O C K I N G N E V
R Y C E O R N A M E N T K N O K Z T W B
P K J Y S R R T R J D C L A M D Q E R H
O C J V N O F U X T R E E J R B R R T A
```

CANDY CANE	POINSETTIA	STOCKING
CHIMNEY	PRESENTS	SUGAR COOKIES
FATHER CHRISTMAS	REINDEER	TREE
GIFT	RIBBON	WINTER
NATIVITY	SANTA	WRAPPING PAPER
NUTCRACKER	SNOWMAN	WREATH
ORNAMENT	STAR	

ACRONYMS

```
I L S E M V X S Z X J M R R Z O B X Y M
I C L J Q X U C T N N Y A U V U N S K L
Q Y D V V W G S N M W E M Y M P G S I A
E T A V J B I S F G L J J L L V U K S S
F P P W L W M G K L I M E C P T K C S E
G U F H H X H U N A T O Y M O N X T Z R
W Z W V G P Y P F P P O A C G Z I N G I
U P J F E P I K E A U B S S B E Y M O M
L H Y M H K Q N M M U A O E C L K I C T
U V P Q B O A O M C H Y Z R N A S A Y L
A G H F L O T U S S E F M E Q Q P H M S
G D Q L G K G J O E N S S Z Q E O A H Y
Z R R E B Z C O Y Q K L A C G O T S I C
S E P C G V C K U L W F S O L O U A X N
O J H O Y W V X I W S T B O P L S P K M
N N H S Z U H Q D N T U Y I P U K V O O
A P R B Q N P R A D A R N A H Z D M Y M
R Q T D J G G G A W O L E D P P J T X A
O C O P D R S A H Q O N A S D A Q C H T
T D K L V O Q N Q P L O G A M N T I M D
```

ASAP	JPEG	NASDAQ	RADAR
AWOL	KISS	NATO	SCOTUS
BOGO	LASER	OSHA	SCUBA
FLOTUS	MOMA	PIN	SONAR
IKEA	NASA	POTUS	YOLO

COMPOUNDED

```
O C K R Z L M C L O T H E S P I N S A I
Y C W B N H C R I T L S T E A S P O O N
A J U A O M T T V M E Z J E X P D Q D Z
R D N S B B H G V S V H A O J I U J F D
D R T E C I F K S J E U B V H N V E I P
S F S B Y Y I A N F K L N L H E U E R W
T E E A P O L Y I C I W X X B A R A E S
I A D L U G V N A A O R B C A P Z B P S
C R W L E C K B M G D E H M V P L I L S
K R W Y I T T I T J A U P R A L I Z A L
A I E A E U Z H S D U T Y I Y E Z V C Z
D N W K C O G T B C H P H C O V K X E H
U G C Q N I N O T E B O O K O E V L K L
N O T A N D B N R F J H A I R B R U S H
P L W A T E R F A L L Z U I W F W Q K G
D Z S U N S H I N E C K B B B C M L I J U
L D E L N S U C S B U T T E R F L Y V X
M I L K S H A K E X P C K U I V P R J K
Q S F H C W M Q A A I R P L A N E D F R
U J D O G H O U S E X H K B X J S M X U
```

AIRPLANE   DOGHOUSE   MAILBOX   POCKETKNIFE
BASEBALL   EARRING   MILKSHAKE   SUNSHINE
BUTTERFLY   EYEGLASSES   NIGHTGOWN   TEASPOON
CLOTHESPIN   FIREPLACE   NOTEBOOK   WATERFALL
CUTBACK   HAIRBRUSH   PINEAPPLE   YARDSTICK

IT'S ABOUT TIME

Puzzle #245

```
W O F W I S R T T X U N K B V K O D F A
O N B X K L W B E N U T C M L Z L I M W
C P G S U N D I A L D D Z L A B P U O C
M G G R D T L A K J O W Q H U R V L R Y
T W C Y A F O A K X W W S Y J W M W N D
I T I M E R C B T K E V M A C A A X I M
M H W W H E G D J E E Q I E H T W H N F
S D E N E A R L Y A K T N W X C C G G N
O S C H E D U L E C S Z U H L H J Q G G
O Y L S Y S O X K B A L T U O U E G U X
K S F N G I J P X M E J E G O U H G L X
L T D Z X D E V L I G Z S F R B H H B K
C C C Y B G G P C A Q O C A D U Y S W R
T Z B P M O N T H L N U D N I G H T B E
U T U J E W I D Q O O N V R Q Y P C P R
N F B S E C O N D S E C E F J H E D U R
E O V P D V D Z H L Z G K R G N V A C Q
Z H Y V E H H F A D T E K V O G E Y R A
T C S Q G V F C F F B M P Q P F R S L E
D G S L M H N O O N J M B I G B E N F H
```

BIG BEN
CALENDAR
CLOCK
DAYS
EARLY

HOURS
LATE
MINUTES
MONTH
MORNING

NIGHT
NOON
PLANNER
SCHEDULE
SECONDS

SUNDIAL
TIMER
WATCH
WEEKS
YEAR

ANIMAL IDIOMS

```
S W W M I E N N M S W A N S O N G T A U
M H N M Y L Q D M A D A S A W E T H E N
U R E I Q R M G G R R K G F T H T O R F
W A Q J P S L R E V Z A Y C H B Q N L F
U Y W E X F B O V J I W U B E Z A E L Y
V H F K C L I U P S R U Y S C A R T U M
W O I P B O Q S S J A H I X A H E R O L
D L B I L A I N H Y K N Y U T O D I E O
G D E G I N U Z E O B T C U S G H C A N
S Y A H O S A N A B U E L X M W E K G E
F O T E N H E P R D K T E T E I R P E W
G U C A S A L B L P N B O S O L R O R O
B R R D S R Y B Y F I G I F W D I N B L
E H O E H K Z O B P E H E N W Q N Y E F
S O W D A E F Y I U W C R J R A G M A E
Y R Y S R Q J E R X X Y Y U U T T M V H
Z S R I E R J Z D V B L A C K S H E E P
N E X U U S I T T I N G D U C K E C R V
D S T M M R L W Q T O S M E L L A R A T
I N T H E D O G H O U S E K S Q D C L W
```

BLACK SHEEP	HOLD YOUR HORSES	PIG-HEADED
BUSY BEE	IN THE DOGHOUSE	RED HERRING
EAGER BEAVER	LION'S SHARE	SITTING DUCK
EARLY BIRD	LOAN SHARK	SMELL A RAT
EAT CROW	LONE WOLF	SWAN SONG
FISH OUT OF WATER	MAD AS A WET HEN	THE CAT'S MEOW
HOG WILD	ONE TRICK PONY	

CHURCH POTLUCK

```
C N O M D R H V N I H G P D H H Y F Q T
W F L U T D A L K H W J E E G Z C R S T
Y M K Y N P S Y M A A Z A V C Q Q U M N
A H F W E A H J O M B I N I H M P I Y M
M Z S U W S B N I A D T U L I A M T Q Y
B T T S P T R O E N I Z T E C C E S B N
R U A E V A O U U D N Y B D K A A A A R
O N C V S S W B F S N N U E E R T L K K
S A O E N A N A T W E C T G N O B A E S
I C L N T L C K P I R O T G T N A D D D
A A A L W A A E O S R W E S A I L S S D
S S S A B D S D T S O B R H T A L F P O
A S A Y R C S B A S L O B J E N S R A P
L E G E O W E E T L L Y A W R D H C G H
A R N R W T R A O I S C R W B C X X H L
D O A D N I O N S D M A S U A H W A E C
V L D I I Q L S A E P V I Z K E U O T N
B E L P E B E D L R W I F S E E S K T U
T E T S S V S H A S H A H G Y S K L I L
J K C H I L I T D G I R P W B E H K A N
```

AMBROSIA SALAD
BAKED BEANS
BAKED SPAGHETTI
BROWNIES
CHICKEN TATER BAKE
CHILI
COWBOY CAVIAR

DEVILED EGGS
DINNER ROLLS
FRUIT SALAD
HAM AND SWISS SLIDERS
HASHBROWN CASSEROLE
MACARONI AND CHEESE
MEATBALLS

PASTA SALAD
PEANUT BUTTER BARS
POTATO SALAD
SEVEN LAYER DIP
TACO LASAGNA
TUNA CASSEROLE

PEPPERS

```
V Z L F G S S D V Y I W L S F S F K M X
L D S E R R A N O V M W B Y N H H Q L D
N Q U W C R O J A L A P E Ñ O I X Z A G
A Q S C O T C H B O N N E T U S V N L H
C U B A N E L L E Y L E E Q K H M J V O
A V O U U L W Q E O N O D R I P N Y S
T J P R P F V M L T G P L E S T F P U T
G D O Z I K F L O W T R P E F O Y O Q P
Y C Y V R B E C C J B A Q A B N I B Z I
A J M H I B O H D V E Q T S M L U L P M
I B G S P R Y L K R D F O O I O Y A B E
K Y H T I V I K A X Q R G H S C V N L N
D R L N R O Y N F H E T C F P S A O C T
A C M X I M I W J N I O A H U N F F A O
N W R I E L U E A E N D H B A Q A H Y R
A H T N O M X B Q S P Q U N A X C I E P
H Z J R G U A B E U Y I A H M S U X N Y
E S A P J H L R N T W B T R H H C T N T
I C D Y U L F P I Q U I L L O U B O E U
M M R V G U A J I L L O M O L S J A V Q
```

ANAHEIM · CUBANELLE · JALAPEÑO · ROCOTO
BANANA · FRESNO CHILI · PIMENTO · SCOTCH BONNET
BELL · GHOST · PIQUILLO · SERRANO
CAROLINA REAPER · GUAJILLO · PIRI PIRI · SHISHITO
CAYENNE · HABANERO · POBLANO · TABASCO

BODY IDIOMS

```
D E N V D F W B R E A K A L E G H E U I
D L D A C H I N U P T N V J L Y A J F P
A B R T J J M E X K A O K O G O V Q Q A
L O E T Q A A X T E L W U X R M G D W W
E W D T M M G A I E I B C U E V H B D W
N G H S G H M R B P P Y I Q E R E L D E
D R A W U M X M U A S H F V N B A B H A
A E X E T K V A N N A E A R T I D Z E K
H A X E R H M N D E R A C V H T S G A K
A S B T E A B D L Y E R E O U E T H D N
N E Q T A L A A E E S T T M Y A Y O E
D W G O C L P L O O E G H O B O R A V E
T B Y O T E D E F N A E E E T U T I E D
S K H T I A Q G N R L R M T M R R H R P
S O Y H O R K Z E R E U U H Q T B Q H U
L I S U N S I R R K D O S E M O D U E D
L L E L E C L V V T C B I L N N S T E N
C O L D F E E T E R Y D C I Y G I L L G
B V V Q H R O V S P T W Y N P U D T S O
H P S H S Z L L U S Y K G E O E K D B I
```

ALL EARS	CHIN UP	GUT REACTION	LIPS ARE SEALED
ARM AND A LEG	COLD FEET	HEAD OVER HEELS	LEND A HAND
BITE YOUR TONGUE	ELBOW GREASE	HEAD START	SWEET TOOTH
BREAK A LEG	FACE THE MUSIC	KEEP AN EYE ON	TOE THE LINE
BUNDLE OF NERVES	GREEN THUMB	KNOW BY HEART	WEAK KNEED

SOLITAIRE

```
B N S H P S Q F S B A K E R S D O Z E N
E E W P Y G W M J L O H T R S S J G X A
C J W P M D E U C E S C V O T U J W B M
H Z W D H E E L E V E N S S H Y E A L C
I B X S N A N N V G E B E E Y B B F I R
N R T R D Y R D N V C V P U M I Y K Y U
E D U L V R Z A I X E L J N L S E I T E
S Y I N W Z I H O I T H O A L K H H R L
E Y H M X P E Y H H T M J C I L K O E G
Y S F X U E G T U N S N T D K P R D F J
U H Y L B P Y P I R O G N Z O L D D O T
K J O B R T Y R A I Z O R E A N M A I T
O G A I R M Y R P T L L K A A T Z N L N
N Q E O P B F R A K I D V S V Y F D J C
C F F Q A L O X E M R E K N Z E U E V B
D D X L E C I L Q M I C N A D A N V W A
N S H Q S H B N Y B I D C C O J N E P P
Y F O A C U W B E U M K W B E L E N Y A
Y B T K O L B U Q U K G O M H S L K B H
Z X H D O P R T F B P Y R C M O W V K G
```

ALI BABA	CRUEL	FUNNEL	PHARAOH'S GRAVE
BAKER'S DOZEN	DEUCES	LABYRINTH	PYRAMID
BEEHIVE	DOUBLE KLONDIKE	LINE UP	QUICKSAND
CHINESE YUKON	ELEVENS	ODD AND EVEN	SCORPION
CLOCK	FORTY THIEVES	PATIENCE	TREFOIL

SOLUTIONS

PUZZLE # 1

PUZZLE # 2

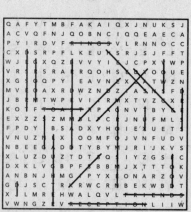

PUZZLE # 3

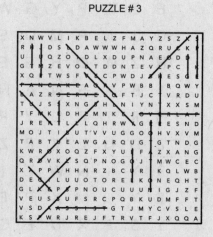

PUZZLE # 4

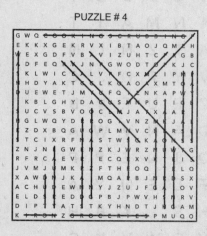

PUZZLE # 5

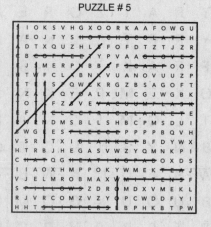

PUZZLE # 6

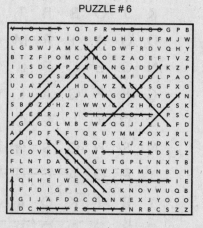

PUZZLE # 7

PUZZLE # 8

PUZZLE # 9

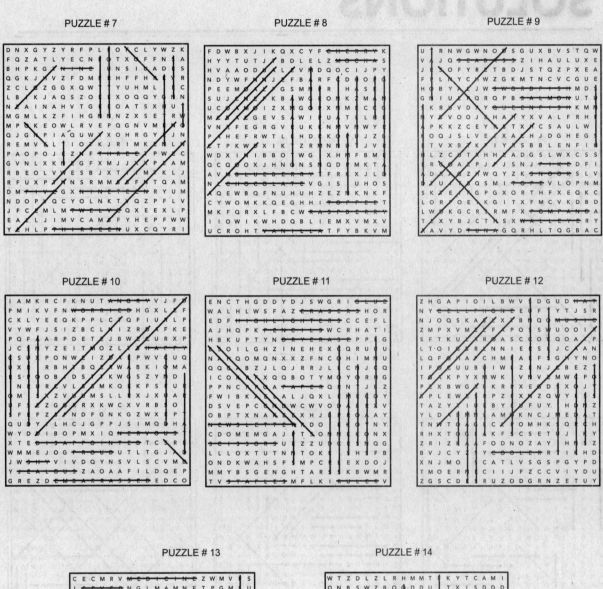

PUZZLE # 10

PUZZLE # 11

PUZZLE # 12

PUZZLE # 13

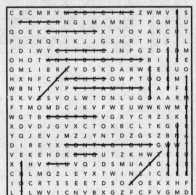

PUZZLE # 14

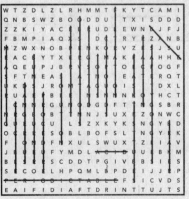

SOLUTIONS

PUZZLE # 15

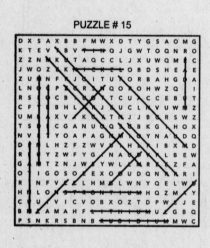

PUZZLE # 16

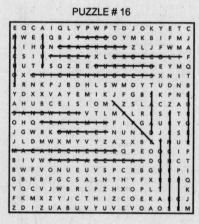

PUZZLE # 17

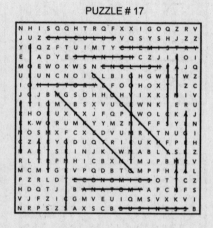

PUZZLE # 18

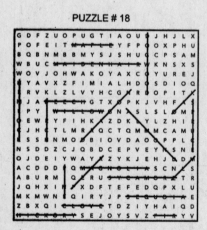

PUZZLE # 19

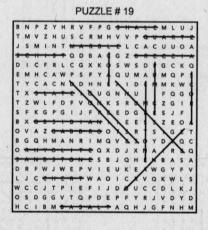

PUZZLE # 20

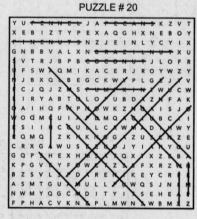

PUZZLE # 21

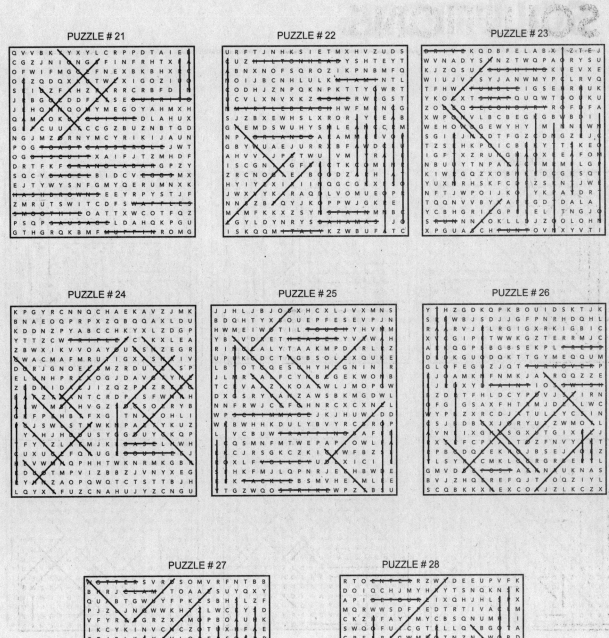

PUZZLE # 22

PUZZLE # 23

PUZZLE # 24

PUZZLE # 25

PUZZLE # 26

PUZZLE # 27

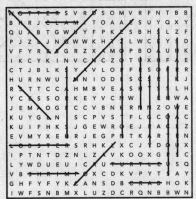

PUZZLE # 28

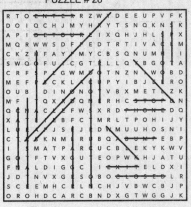

SOLUTIONS

PUZZLE # 29

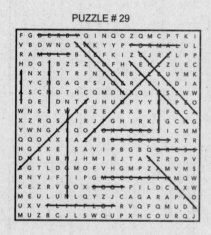

PUZZLE # 30

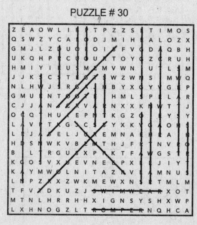

PUZZLE # 31

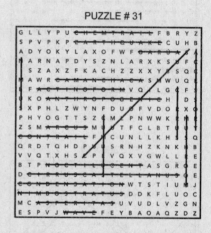

PUZZLE # 32

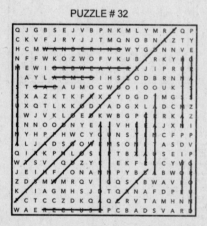

PUZZLE # 33

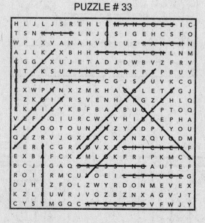

PUZZLE # 34

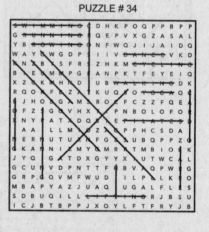

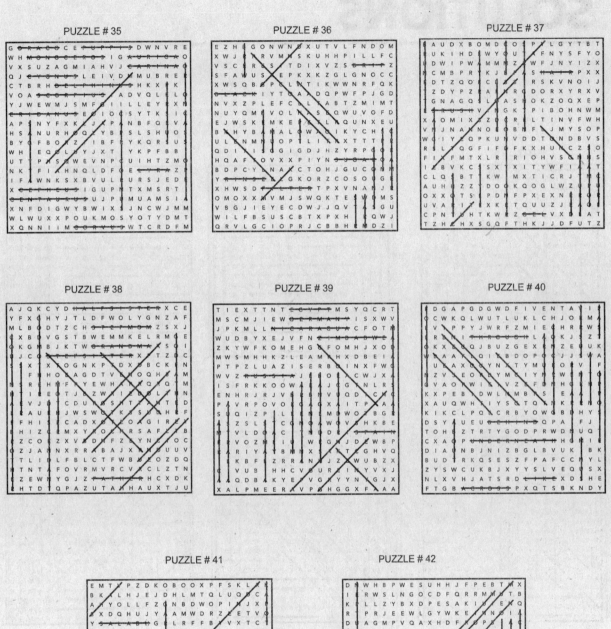

PUZZLE # 35

PUZZLE # 36

PUZZLE # 37

PUZZLE # 38

PUZZLE # 39

PUZZLE # 40

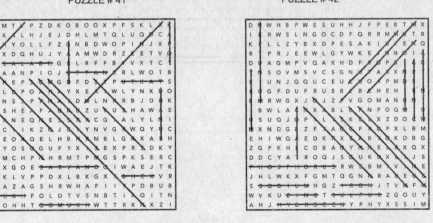

PUZZLE # 41

PUZZLE # 42

SOLUTIONS

PUZZLE # 43

PUZZLE # 44

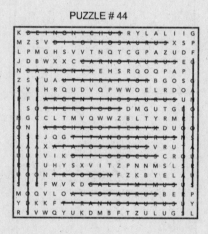

PUZZLE # 45

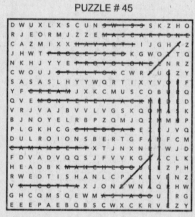

PUZZLE # 46

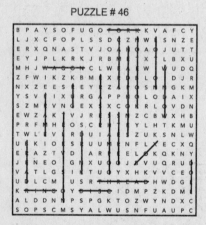

PUZZLE # 47

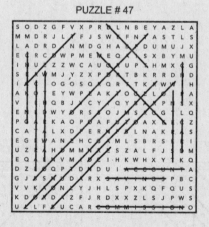

PUZZLE # 48

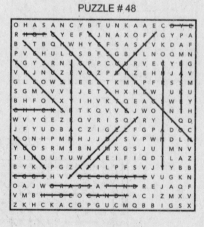

PUZZLE # 49

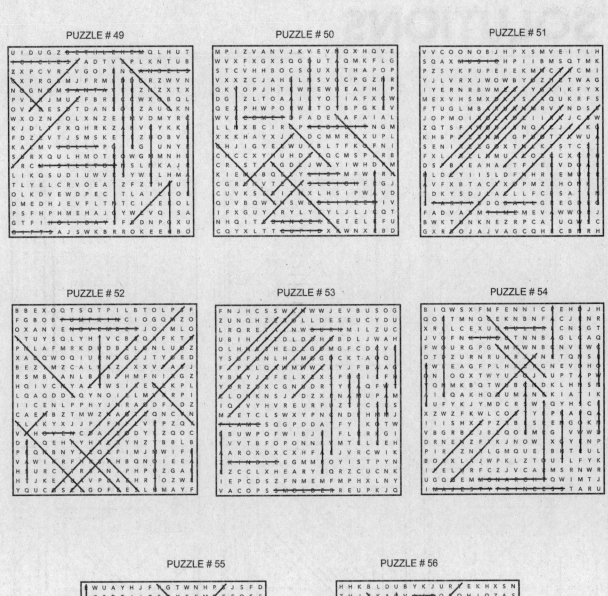

PUZZLE # 50

PUZZLE # 51

PUZZLE # 52

PUZZLE # 53

PUZZLE # 54

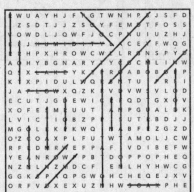

PUZZLE # 55

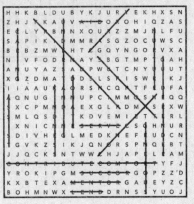

PUZZLE # 56

SOLUTIONS

PUZZLE # 57

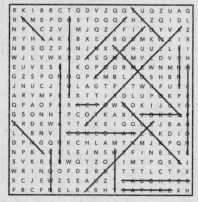

PUZZLE # 58

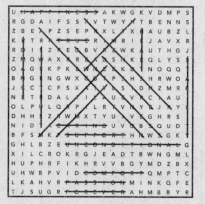

PUZZLE # 59

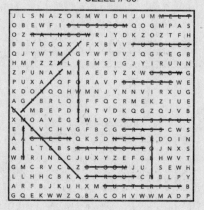

PUZZLE # 60

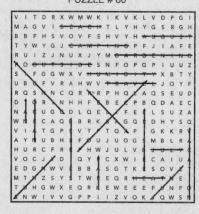

PUZZLE # 61

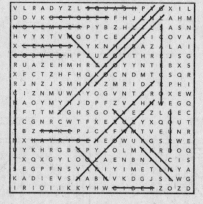

PUZZLE # 62

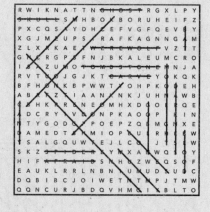

PUZZLE # 63

PUZZLE # 64

PUZZLE # 65

PUZZLE # 66

PUZZLE # 67

PUZZLE # 68

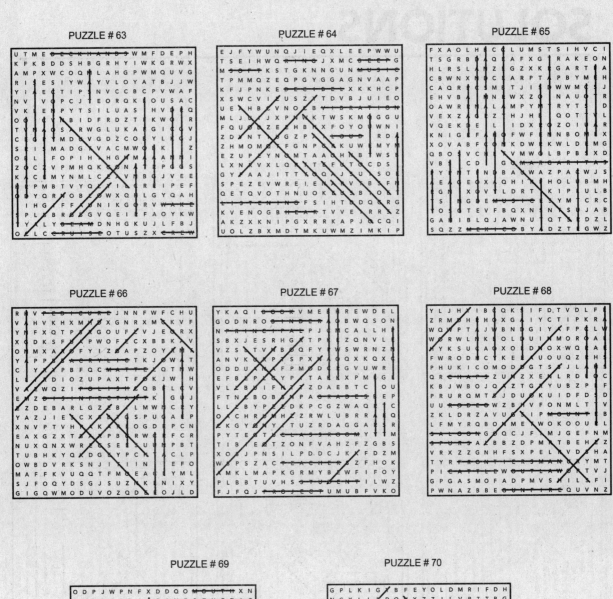

PUZZLE # 69

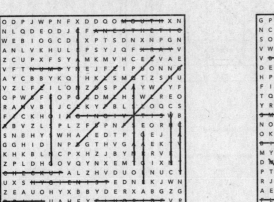

PUZZLE # 70

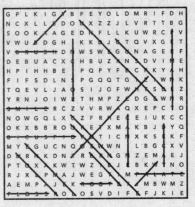

SOLUTIONS

PUZZLE # 71

PUZZLE # 72

PUZZLE # 73

PUZZLE # 74

PUZZLE # 75

PUZZLE # 76

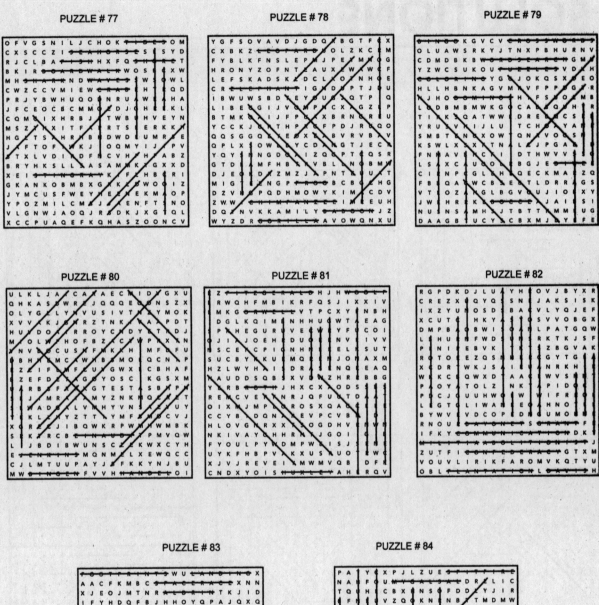

PUZZLE # 77

PUZZLE # 78

PUZZLE # 79

PUZZLE # 80

PUZZLE # 81

PUZZLE # 82

PUZZLE # 83

PUZZLE # 84

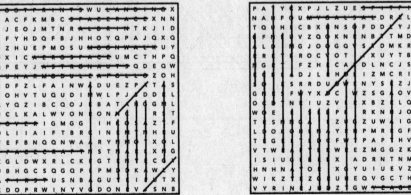

SOLUTIONS

PUZZLE # 85

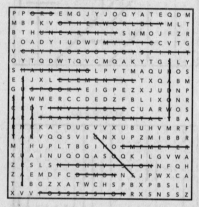

PUZZLE # 86

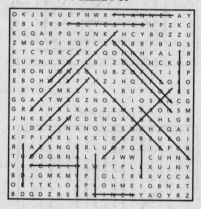

PUZZLE # 87

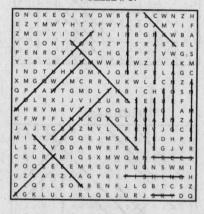

PUZZLE # 88

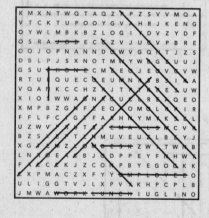

PUZZLE # 89

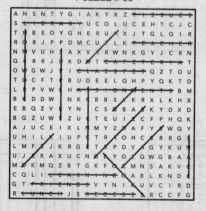

PUZZLE # 90

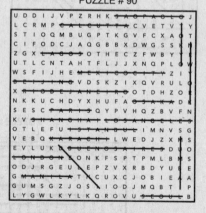

PUZZLE # 91

PUZZLE # 92

PUZZLE # 93

PUZZLE # 94

PUZZLE # 95

PUZZLE # 96

PUZZLE # 97

PUZZLE # 98

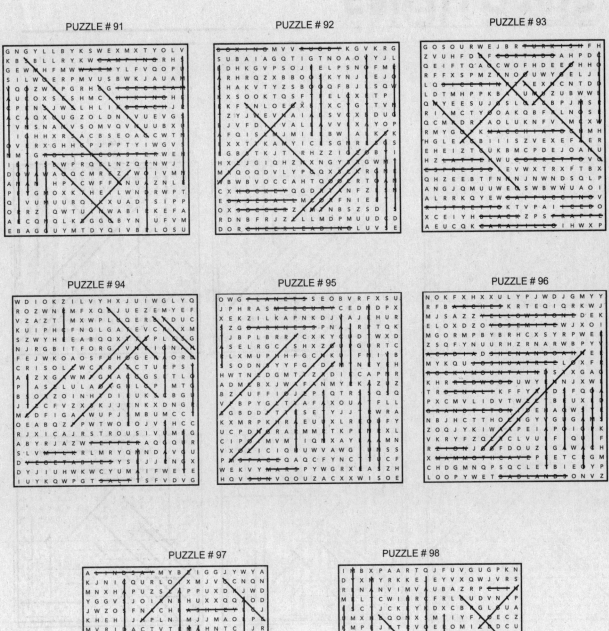

SOLUTIONS

PUZZLE # 99

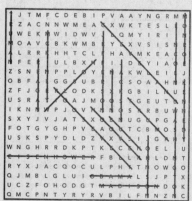

PUZZLE # 100

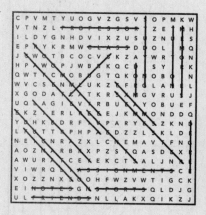

PUZZLE # 101

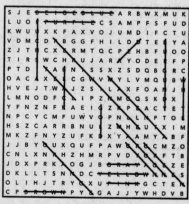

PUZZLE # 102

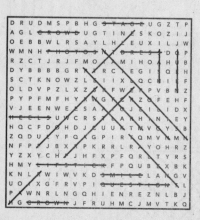

PUZZLE # 103

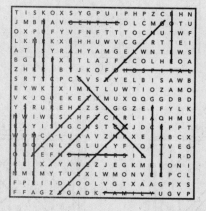

PUZZLE # 104

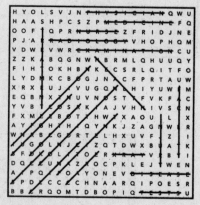

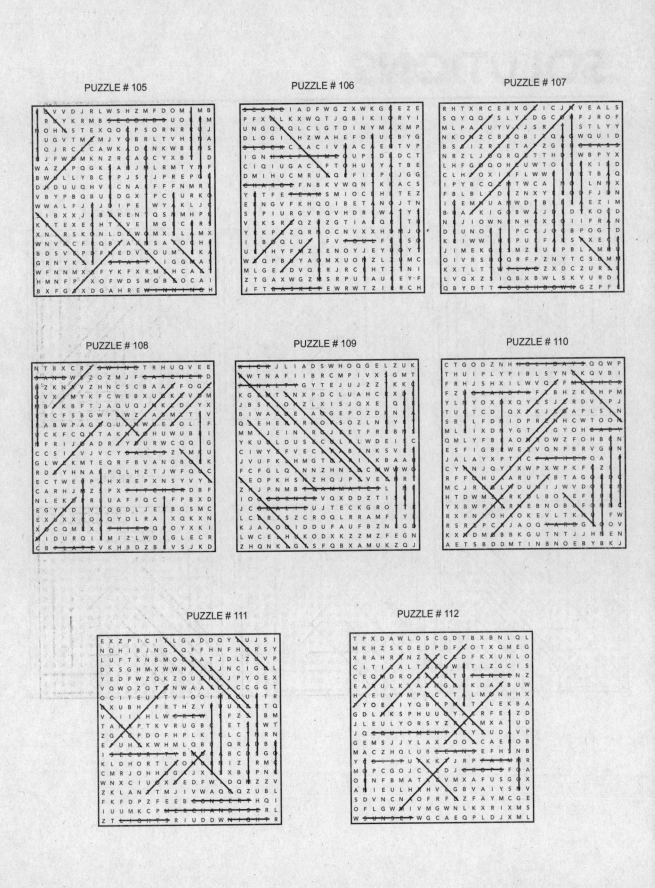

PUZZLE # 105

PUZZLE # 106

PUZZLE # 107

PUZZLE # 108

PUZZLE # 109

PUZZLE # 110

PUZZLE # 111

PUZZLE # 112

SOLUTIONS

PUZZLE # 113

PUZZLE # 114

PUZZLE # 115

PUZZLE # 116

PUZZLE # 117

PUZZLE # 118

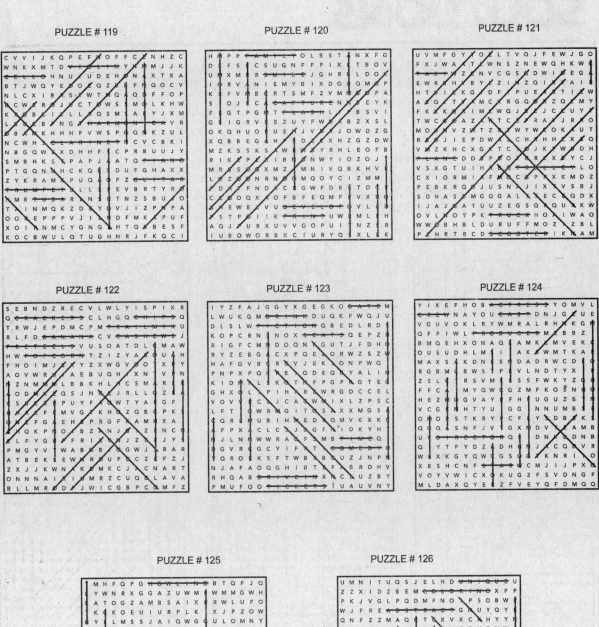

PUZZLE # 119

PUZZLE # 120

PUZZLE # 121

PUZZLE # 122

PUZZLE # 123

PUZZLE # 124

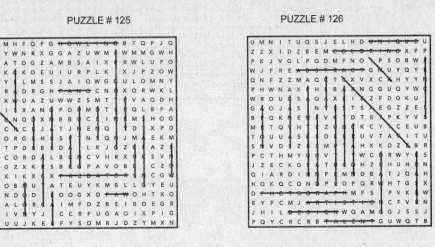

PUZZLE # 125

PUZZLE # 126

SOLUTIONS

PUZZLE # 127

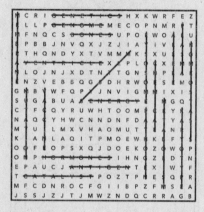

PUZZLE # 128

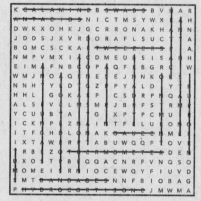

PUZZLE # 129

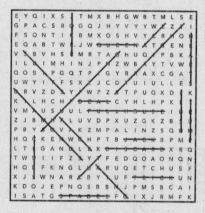

PUZZLE # 130

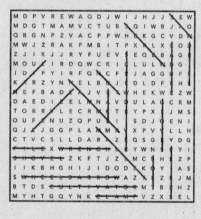

PUZZLE # 131

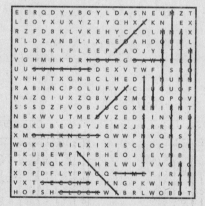

PUZZLE # 132

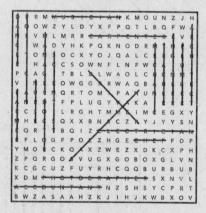

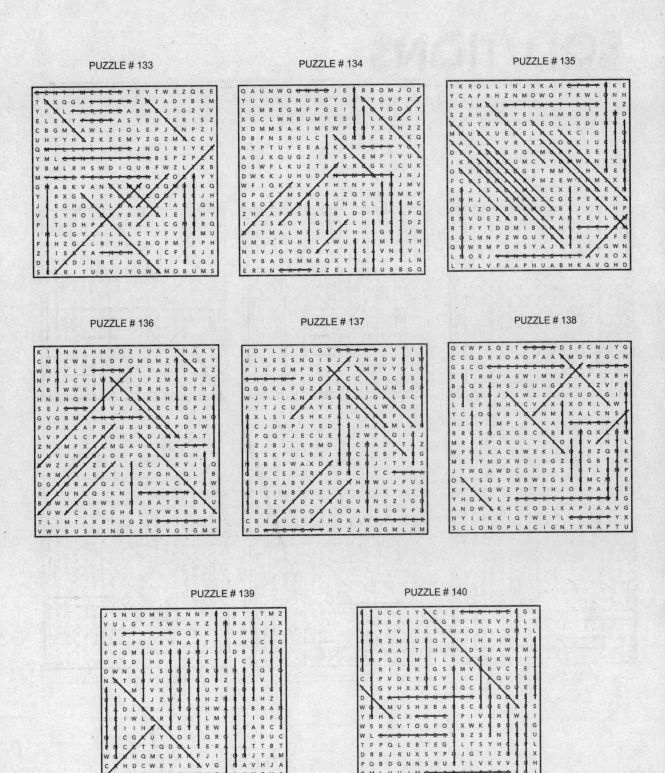

PUZZLE # 133

PUZZLE # 134

PUZZLE # 135

PUZZLE # 136

PUZZLE # 137

PUZZLE # 138

PUZZLE # 139

PUZZLE # 140

SOLUTIONS

PUZZLE # 141

PUZZLE # 142

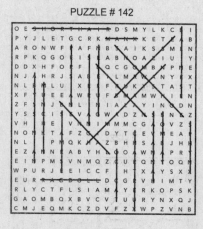

PUZZLE # 143

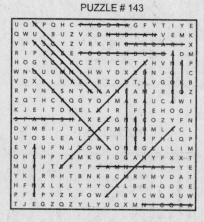

PUZZLE # 144

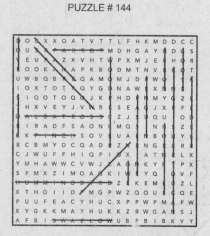

PUZZLE # 145

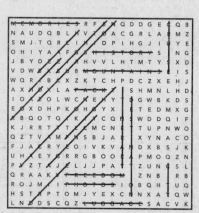

PUZZLE # 146

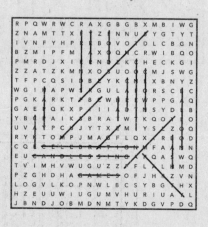

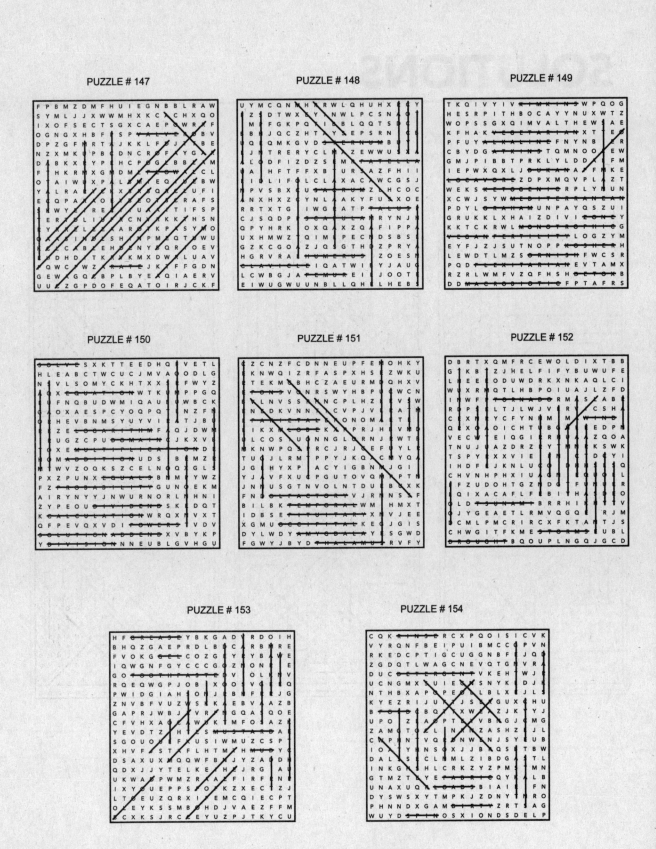

SOLUTIONS

PUZZLE # 155

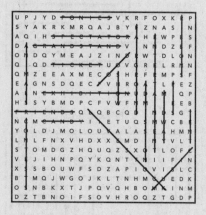

PUZZLE # 156

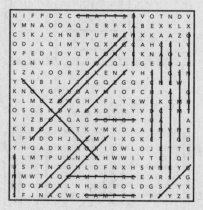

PUZZLE # 157

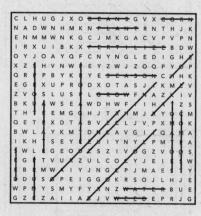

PUZZLE # 158

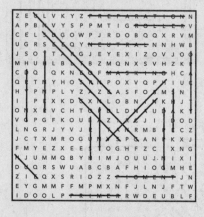

PUZZLE # 159

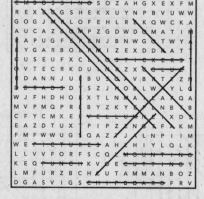

PUZZLE # 160

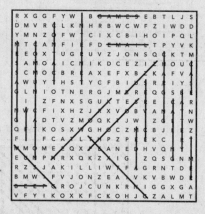

PUZZLE # 161

PUZZLE # 162

PUZZLE # 163

PUZZLE # 164

PUZZLE # 165

PUZZLE # 166

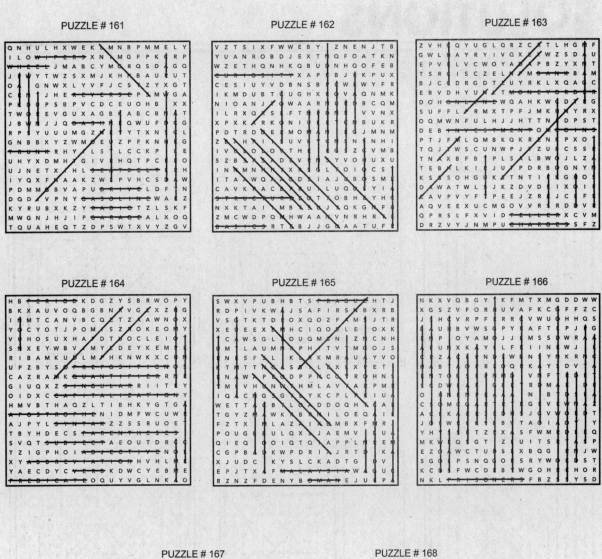

PUZZLE # 167

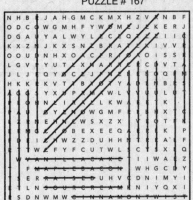

PUZZLE # 168

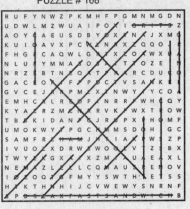

SOLUTIONS

PUZZLE # 169

PUZZLE # 170

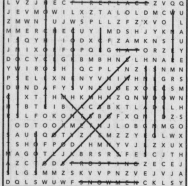

PUZZLE # 171

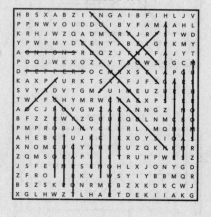

PUZZLE # 172

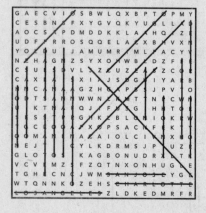

PUZZLE # 173

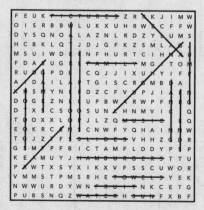

PUZZLE # 174

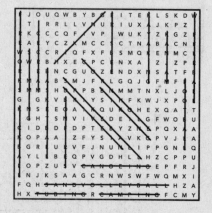

PUZZLE # 175

PUZZLE # 176

PUZZLE # 177

PUZZLE # 178

PUZZLE # 179

PUZZLE # 180

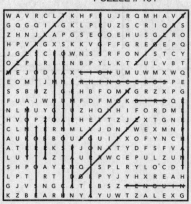

PUZZLE # 181

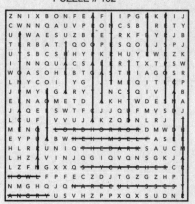

PUZZLE # 182

SOLUTIONS

PUZZLE # 183

PUZZLE # 184

PUZZLE # 185

PUZZLE # 186

PUZZLE # 187

PUZZLE # 188

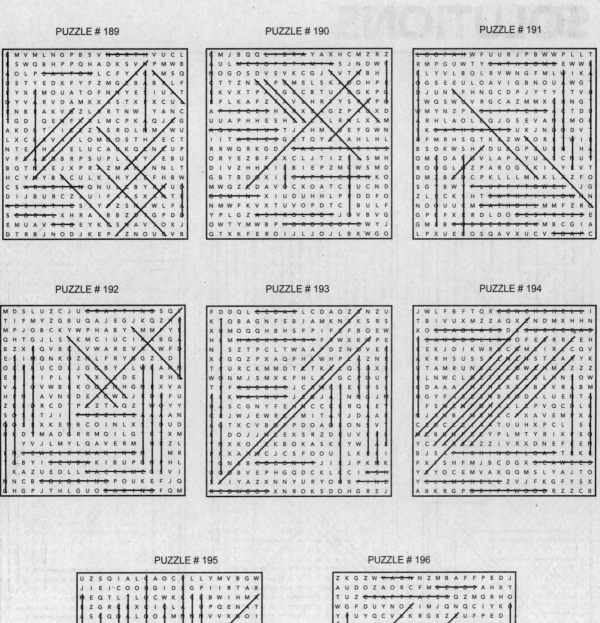

PUZZLE # 189

PUZZLE # 190

PUZZLE # 191

PUZZLE # 192

PUZZLE # 193

PUZZLE # 194

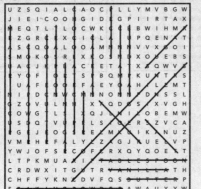

PUZZLE # 195

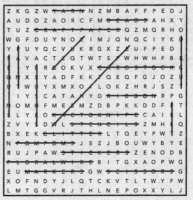

PUZZLE # 196

SOLUTIONS

PUZZLE # 197

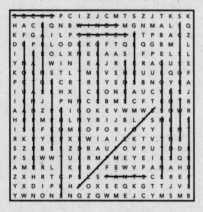

PUZZLE # 198

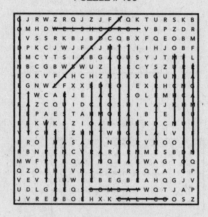

PUZZLE # 199

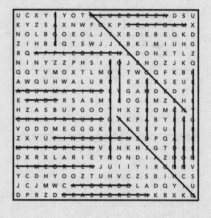

PUZZLE # 200

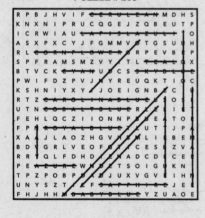

PUZZLE # 201

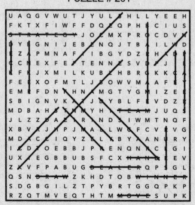

PUZZLE # 202

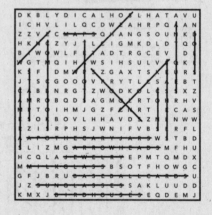

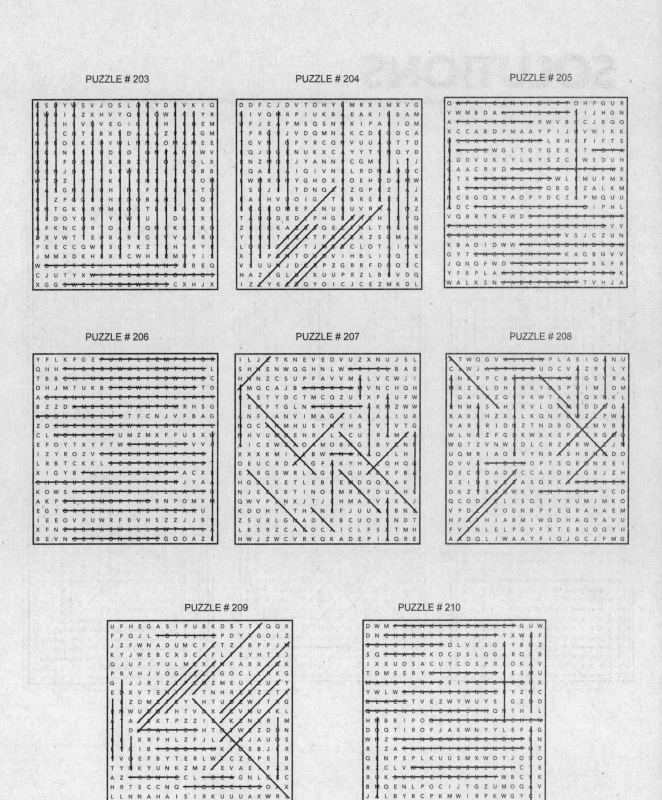

PUZZLE # 203

PUZZLE # 204

PUZZLE # 205

PUZZLE # 206

PUZZLE # 207

PUZZLE # 208

PUZZLE # 209

PUZZLE # 210

SOLUTIONS

PUZZLE # 211

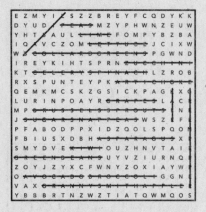

PUZZLE # 212

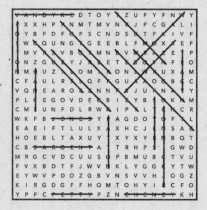

PUZZLE # 213

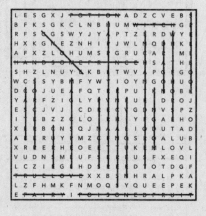

PUZZLE # 214

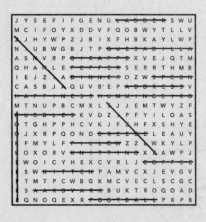

PUZZLE # 215

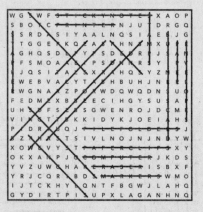

PUZZLE # 216

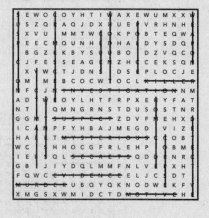

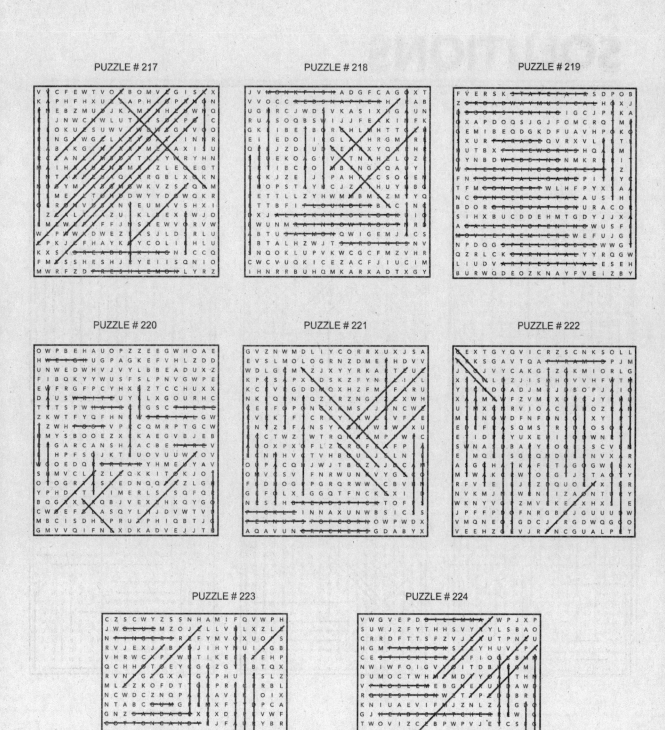

PUZZLE # 217

PUZZLE # 218

PUZZLE # 219

PUZZLE # 220

PUZZLE # 221

PUZZLE # 222

PUZZLE # 223

PUZZLE # 224

SOLUTIONS

PUZZLE # 225

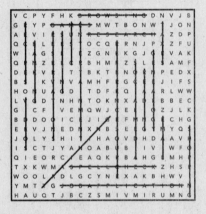

PUZZLE # 226

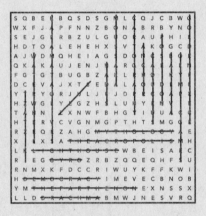

PUZZLE # 227

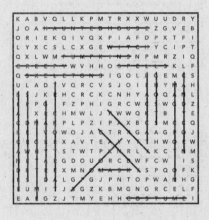

PUZZLE # 228

PUZZLE # 229

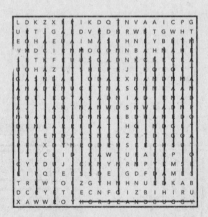

PUZZLE # 230

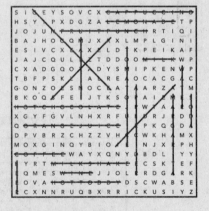

PUZZLE # 231

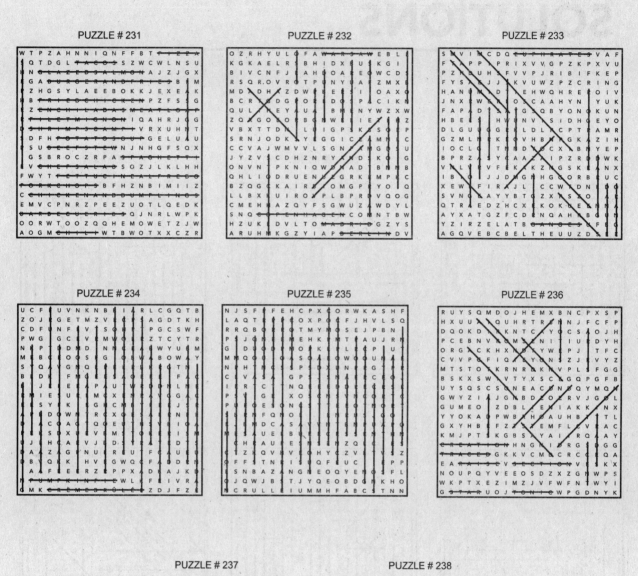

PUZZLE # 232

PUZZLE # 233

PUZZLE # 234

PUZZLE # 235

PUZZLE # 236

PUZZLE # 237

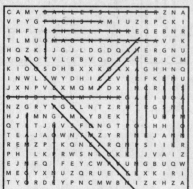

PUZZLE # 238

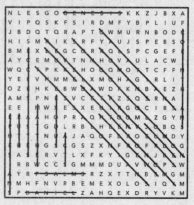

SOLUTIONS

PUZZLE # 239

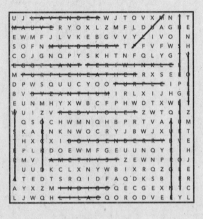

PUZZLE # 240

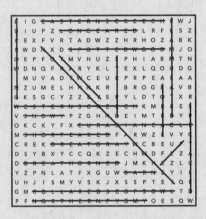

PUZZLE # 241

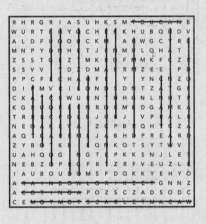

PUZZLE # 242

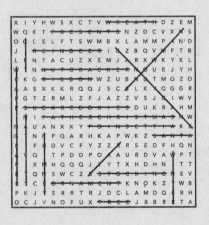

PUZZLE # 243

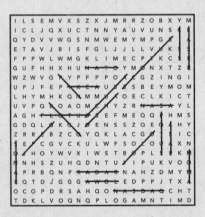

PUZZLE # 244

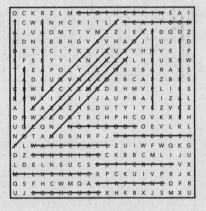

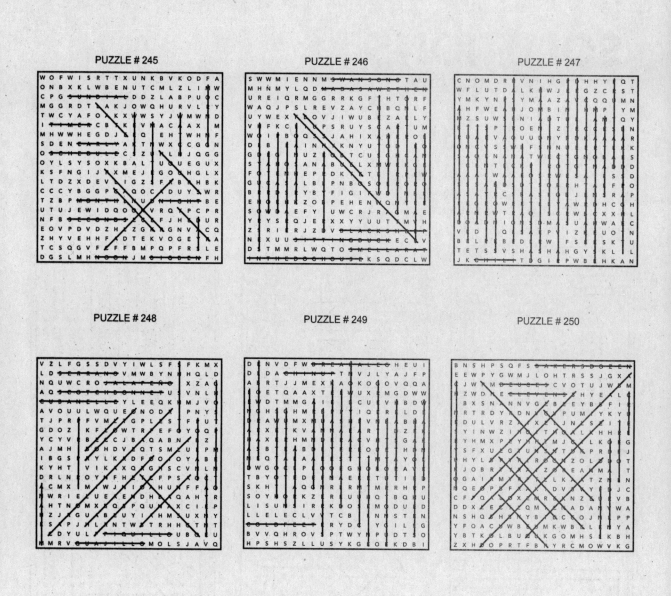

PUZZLE # 245

PUZZLE # 246

PUZZLE # 247

PUZZLE # 248

PUZZLE # 249

PUZZLE # 250